Données de catalogage avant publication (Canada)

Peyrac, Nicolas
    Qu'importe le boulevard où tu m'attends

    ISBN 2-7604-0457-9
    I. Titre.

PQ2676.E97Q55 1994   843'.914   C94-940166-8

Photo de la couverture: Nicolas Peyrac
Conception graphique et montage: Olivier Lasser

Les éditions internationales Alain Stanké bénéficient du soutien financier du Conseil des Arts du Canada pour leur programme de publication.

© Les éditions internationales Alain Stanké, 1994

ISBN 2-7604-0457-9

Dépôt légal: premier trimestre 1994

IMPRIMÉ AU QUÉBEC (CANADA)

*Qu'importe
le boulevard où tu
m'attends*

Et si j'enlevais les *et*
parce que, après tout, il n'y a
pas toi *et* quelqu'un d'autre,
l'amour *et* autre chose,
simplement toi... sur le
boulevard où tu m'attends...

NICOLAS PEYRAC

*Qu'importe
le boulevard où tu
m'attends*

(PRESQUE UN SCÉNARIO...)

Stanké

À mon père

«Nous étions monde du demi-mot.
   Serions-nous devenus demi-monde du mot, comme tout le monde?»

Guy Tazartez

Un

La clé était la même. Enfin presque. Elle ouvrait en tout cas les deux portes, celle de chez moi, celle de l'entrée latérale du lycée, passage qu'il fallait emprunter pour éviter l'éternelle question qui glace, le «Où allez-vous?» fatidique, capable en une seule petite seconde de vous gâcher la journée, le jeudi suivant, qui sait peut-être le dimanche. Celui qui vous arrêtait, c'était rare, avait une tête à dénoncer: fouine à lunettes, blouse glauque, grise, propre, ajustée, uniforme incontournable de l'autorité dont on rêve quand on voudrait bien être quelqu'un d'autre que le concierge. Inéluctable la phrase suivante: «Allez chercher un billet chez le surveillant général!» La fouine était méfiante, capable de vous suivre, au cas où l'envie de vous perdre en route vous aurait effleuré, comme si des velléités de ce genre pouvaient passer par la tête...

J'étais le seul à avoir la clé.

Pas ma faute. Un jour de retard absolu, j'avais tenté l'expérience, pour voir: ça avait marché!

Je devais avoir dans les douze ans, n'avais pas encore commencé ma collection de «Paris-Hollywood», étais plutôt du genre Mermoz, Latécoère, l'Aéropostale. Je m'appelais Reine. Pas encore, à vrai dire, ça allait venir un peu plus tard, les autres me fileraient ce nom... Jamais su pourquoi, sauf que parfois, insidieusement, par bribes, me revient qu'un des copains de Mermoz se nommait comme ça.

Vous imaginez un mec avec un nom de fille, dur à traîner, mais on finit par s'habituer à tout, à tel point que j'en ai, depuis, presque oublié l'autre, le vrai, celui qu'on vous donne à l'âge où vous avez encore du mal à choisir... Différence. Elle est venue très tôt la différence, pas dans l'aspect, dans la tête, dans l'autre façon qu'on a de voir, de se voir, de se poser par rapport au monde, par rapport aux autres. Pas envie de leur ressembler, parce que je me sentais simplement différent.

La seule chose qui nous rassemblait, avec ceux de la classe, le foot. Pourtant, même au foot, je me sentais différent. Ils passaient leur temps à cavaler comme des fous, rouge pivoine, courant comme des allumés après une putain de balle, histoire de pousser ladite au fond des filets adverses. Moi, pas si con, j'étais goal, peinard, avec des gants. Même l'hiver, j'avais chaud aux mains. En plus, jamais eu envie de courir. Pas mon truc la course. Rien n'a changé... Tendance aussi à penser, si je me rappelle bien, que gardien de but, ça vous avait un petit côté au delà du delà: les autres se ruinent, moi je garde, je réfléchis, je cultive mon jardin intérieur pendant que le ballon vit sa vie!

Tu parles d'un jardin intérieur! Pas grand-chose qui poussait...

Mes parents n'habitaient pas ensemble. On murmurait très discrètement qu'ils se faisaient franchement la gueule, sauf les jours où il y avait urgence, punition requise, correction dans l'air, raid sur la progéniture, exécution du fils maudit. Ces jours de fête, mon père débarquait de sa campagne. Le seul moyen d'échapper au massacre: s'enfermer dans les toilettes. Seulement les toilettes, à un moment donné, il faut bien en sortir... Ces deux-là, croyez-moi, étaient d'une infinie patience... Ils auraient attendu des semaines... Je les connaissais, je sortais avant!
Lui, il était médecin de campagne, confesseur, guérisseur des âmes... Gardes, accouchements au petit matin, réveil en pleine nuit quelquefois pour un pet de travers, il s'était offert la panoplie complète, toutes les options possibles... Génial pour quelqu'un dont la vocation était depuis toujours la littérature... Mon père, sa vie aura, de tout temps, tourné autour des bouquins, les lire, en écrire...

Ma mère, autre combat. Ingénieur, études de médecine parce que larguée par son jules, qu'il faut s'occuper, essayer de pas trop déprimer. Entre eux deux, je jurais un peu, question intérêt pour les nourritures terrestres. Les deux jeunes gens qui m'avaient mis au monde n'étaient vraiment pas d'accord en ce qui concernait mon éducation! Je ne sais d'ailleurs toujours pas ce qu'ils se racontaient à mon sujet, mais certaines bribes de discussions m'avaient laissé entendre qu'on nageait dans une franche mésentente.

Un jour, ma mère a décidé de me coller dans une école tout à fait révolutionnaire, l'école Montessori. J'imagine que ça devait friser l'émeute, puisque le deuxième matin, inutile de dire que je n'avais pas eu la latitude indispensable à une bonne intégration, le deuxième matin, donc, je vois se pointer mon père, en grande conversation avec le patron des grandes manœuvres... Ça gesticule sec, parle un peu fort. D'où je suis, c'est carrément hilarant. Je me retrouve, d'un coup, arraché, après une seule journée de loyaux services, à un établissement qui n'attendait qu'une chose, me prouver qu'il était, en effet, totalement novateur!... Ma mère, vengeance oblige, se met dans la tête, allez savoir pourquoi, de faire de moi un danseur classique! Mon cher géniteur est dans l'impossibilité majeure d'intervenir, vu que les cours ont lieu aux heures de ses consultations. Hébété, croisant, décroisant les jambes, les pieds, je me retrouve planté en plein cœur d'une nuée de jeunes filles, me demandant ce que je fous dans ce lieu insolite quand tous mes copains sont en train de jouer au foot!... La vie nous change... Je ferais ça maintenant, je suis bien certain que je trouverais l'endroit beaucoup plus attirant qu'à l'époque!

Ceci dit, encore une fois, j'avais la planque! Étant donné mes immenses capacités, on avait jugé bon de me cacher, du moins lors de toutes les apparitions publiques de la troupe, dans une énorme boîte en carton. *La boîte à joujoux* de Claude Debussy, monté cette année-là au théâtre municipal, ne me verrait apparaître que quelques minutes, le temps de faire quatre pas avant d'être exécuté.

Mort comme je l'étais, j'avais l'insigne chance d'être ressuscité par les attouchements, très frais, d'une ravissante nymphe, toute de ballerine princesse vêtue.

Débuts scéniques très prometteurs, surtout pour la demoiselle! Moi, j'avais découvert par hasard le bonheur de m'abandonner dans les bras d'une jeune fille sous les applaudissements d'un public indulgent.

Je m'appelle Reine.

Je ne sais pas pourquoi je pense à tout ça ce soir. Peut-être parce que vieille clé retrouvée dans un coin en cherchant du café pour essayer d'avoir moins froid...

J'arrive de loin, d'ailleurs, d'un pays où les enfants ont des yeux qui font peur à force de vouloir vivre malgré les autres qui meurent...

J'ai décidé d'arrêter.

Je faisais des photos, les yeux des enfants m'ont tué.

Deux

J'ai toujours été attiré par les yeux.

Ma mère, son divorce prononcé, avait opté pour la médecine. Son but: la recherche. L'endroit idéal: l'hôpital Mount Sinaï à New York. On y est allés... Voyager était son seul luxe, j'étais son seul fardeau, peut-être aussi son seul plaisir. Le lycée français, immeuble très chic, très comme il faut, vue imprenable sur la 72e Rue Est, d'un côté la 5e Avenue, de l'autre Madison. Tous habillés pareil, donc égalité! Je ne savais pas encore que là-bas, plus on avait d'argent, plus on était égaux. Le contraire n'était pas non plus dénué de sens. Au lycée français, les riches vivaient dans un monde, les moins riches dans un autre, bien séparé du premier...

Boursier, je faisais partie du second... Logique.

De temps en temps, convocation chez madame la directrice pour l'entendre m'assener des phrases toutes bêtes, mais qui ressemblaient sûrement à

13

l'énoncé des fautes que je devais avoir commises ou m'apprêtais à commettre. Je ne saisissais pas encore bien la nuance qu'il y avait entre ce que pouvaient faire les autres sans qu'on leur dise rien, moi à qui on disait quelque chose, moi qui souvent ne faisais rien.

Elle avait des yeux incroyables dans un visage fascinant. Elle le savait. J'aurais pu rester des heures à la contempler.

Elle se prénommait Alexandra.

J'ai dû commencer à aimer les yeux à ce moment-là.

Son père, acteur de cinéma, tournait beaucoup.

Il préparait cette année-là un film avec Paul Newman. Le titre en serait *Exodus*. Bien après, avec un oncle, je l'ai vu dans un cinéma crasseux de Clichy... Je n'ai jamais su qui était son père. Quand je le cherchais, croyais l'avoir trouvé sur l'écran, je voyais les yeux de sa fille. Ce film restera dans ma mémoire à jamais, peut-être à cause d'Alexandra, peut-être aussi parce que j'avais été déchiré par la mort de Dov Landau, l'insoumis dont était amoureuse la blonde Karen Petersen. C'est à cette époque que j'ai commencé aussi à aimer le téléphone!

Comme Alexandra n'avait pas grand-chose à faire de moi, je la comprends quand j'y repense, les filles n'aiment que ceux qui s'en foutent, en aucun cas ceux qui se pâment, elle me supportait cinq minutes, prétextait quelque chose à faire, se sauvait... Me restait la solution d'appeler sa copine

Betsy pour lui parler de la belle évanescente... Elle aurait peut-être préféré que je lui parle d'elle!...

Ma mère a mis un jour un cadenas sur le téléphone. J'ai démonté le cadran, en ai mis un en carton. Ne pas être aimé était déjà tout à fait insupportable, ne pas pouvoir m'entretenir de ce dédain avec quelqu'un de confiance l'était encore plus!

C'est aussi à ce moment-là que j'ai commencé à me shooter à la télé. À Paris, on regardait péniblement une chaîne.

À New York, plus tu tournais le bouton, plus il y en avait, avec, supplément au programme, parfois, la couleur.

Quand je suis rentré en France, j'étais absolument cinglé!

Les yeux des filles me fascinent toujours.

Gros plan hier soir à la télé, chez Frédéric Mitterrand, sur le visage sublime de Kristin Scott Thomas, héroïne d'*Une poignée de cendres*, un film anglais.

J'aurais pu rester blotti dans le violet entre ses cils pendant trois semaines.

Je m'appelle Reine.
Je rentre de très loin.
Je vais tout arrêter.

Trois

Cinquième fois en une heure qu'elle essaie de me joindre, qu'elle tombe sur le répondeur, qu'elle dit que c'est elle, qu'elle demande que je la rappelle. Je ne veux pas le faire... Ses yeux ne me font plus l'effet qu'ils me faisaient avant, avant que je sache, que je doute, que vienne peu à peu en moi ce semblant d'indifférence attisé par ses escapades... Tout arrêter... Elle fait partie du tout.

Alexandra me faisait du bien quand elle parlait, quand elle souriait, quand elle était.

Elle disait souvent: «J'irai danser, un jour, à l'opéra de Varsovie!» C'était une phrase définitive, une de celles qui font que quand on la prononce on est sûr que ce qu'elle contient arrivera.

Elle était persuadée que ça se passerait comme ça!

Il ne fallait surtout pas lui poser la question subsidiaire, celle qui aurait conduit à une explication de sa part. Il n'y avait bien sûr pas de réponse, celui qui osait seulement l'interroger à ce sujet se retrouvait immédiatement dans la position de méprisé, banni, crétin! Je n'étais intervenu en ce sens qu'une fois, au tout début... avais vite compris.

Elle pouvait parler des heures.

Je la faisais exister en l'écoutant, elle me faisait vivre en existant. Magie des mots, surtout quand les mots sont dits par quelqu'un qu'on aime écouter.

Des années durant, j'aurai gardé le *Year Book* du lycée français rien que pour la photo de classe au centre de laquelle elle siégeait, entourée de sa cour. Cette photo me torturait. J'aimais ça!...

En dehors de cet amour pour les yeux des filles, j'emportais dans mes bagages, en rentrant à Paris, la langue anglaise. J'avais, sans le vouloir, hasard des perméabilités enfantines, la capacité de me sentir chez moi là où on la parlait. C'est comme le piano: les gosses râlent quand on les gonfle avec les gammes... Un jour, par hasard, ils savent!... Savoir, c'est toujours quelque chose qu'on avait déjà, par quel miracle, comme l'anglais ou l'espagnol, ou ces talents qu'on se découvre, qu'on cultive, qui vous rendent différent...

Ma mère avait tendance à penser que l'anglais, c'était bon à savoir. Elle avait raison. Mon père aurait souhaité, sans le dire ouvertement, discrétion oblige, que son fils écrive... J'ai fait des photos, j'ai voyagé.

La première fois que j'ai traversé l'Atlantique, à bord d'un vieux DC6B de la compagnie President Airlines, le vol avait duré presque vingt-quatre heures, escale en Irlande, deuxième stop à Terre-Neuve. À la sortie de l'avion, Amérique impressionnante, mais pas tant que la seconde fois, à peu près un an plus tard, quand je devais découvrir, ébahi, la statue de la Liberté émergeant du brouillard.

J'étais resté des heures, transi, trempé, délavé par les embruns, cramponné à la rambarde d'un des ponts promenade du *Queen Elizabeth*! Ce bateau était une ville. Les gosses s'y perdaient, s'inventaient des jeux, des pays, mille raisons de ne pas se coucher avant des heures indues. Les tables de restaurant étaient là pour qu'on puisse bâfrer, les films pour que nos yeux n'en croient pas leurs yeux...

Je voyais pour la première fois Yves Montand dans ce qui ne m'apparaissait pas encore comme un navet, morceau d'anthologie plus que nul titré *My Geisha*, m'initiais aux bingos du soir, au roulis, au tangage, posais un regard incrédule sur les premiers poils qui montrent que, quel que soit votre manque d'envie, le temps passe, qu'inexorablement vous changez de tête, de voix, d'habitudes!...

Je ne me faisais ni aux poils, ni à la tête, ni aux habitudes!

Heureusement, j'ai un petit peu changé, mais les souvenirs reviennent par vagues, sans prévenir, quand, du pont d'un autre navire à bord duquel je fais des photos, s'approche en plein mois de novembre, sortant tout doucement de la brume, la masse sombre du Stromboli montant la garde devant l'Italie tout proche.

Encore ce téléphone!... Que peut-on raconter à une fille qu'on n'aime plus exactement de la même façon? À quoi sert de faire croire, de mentir, de se raconter des histoires, des salades auxquelles on sait très bien qu'on ne pourrait plus adhérer même si on le voulait... Elle a beau prétendre qu'elle déprime, qu'elle ne comprend pas, vous n'avez même pas le désir de lui expliquer... Ça ne sert à rien d'expliquer, pas de raisonnement qui tienne la route, que les faits, dans leur simplicité, leur vérité cinglante... Je vais tout arrêter, rien lui dire, rien dire à personne... D'autres yeux...

Quatre

Le concerto n° 2 de Rachmaninov. Du bien dans la tête. Ne rien faire. Rester prostré dans le noir, penser à tout, penser à elle, à elle qui quelque part, sûrement, est persuadée que la vie ne vaut d'être vécue que si on croise un jour les yeux de quelqu'un qui, au lieu de vous voir, vous regarde.

Mon père écoute de la musique toute la journée. Quand je vivais chez lui, juste après mon retour de New York, son univers entier avait basculé. Sa seconde femme était morte, tout ou grande partie de lui avait foutu le camp avec elle, amour immense, infini, envahissant, mais que dire des amours qui ne prendraient pas une telle place? Qu'elles ne seraient simplement pas!

Rien ne pouvait s'interposer, excepté peut-être la musique colorant cette peinture qu'il s'était mis à étaler sur des toiles, lui qui n'avait jamais su dessiner. Les discussions n'existaient plus. Elles ne reprendraient que bien plus tard, quand, à la suite d'un accident, il s'était de nouveau senti concerné par ma présence. Époque curieuse... Sa musique toutes les nuits, mes premiers mots sur un cahier, mes premières photos. Lui aussi en noircissait des pages pendant ces longues heures où rien ne filtrait de sa chambre que les notes accompagnant sa douleur.

J'avais changé de bahut. Là aussi je me sentais différent.

D'abord, chez mon père, je ne parlais pas à grand monde, à part de temps en temps à une feuille de papier, ensuite, les préoccupations des autres ne m'intéressaient pas.

Je ne voudrais pas qu'on se méprenne! Si j'étais quelque peu indifférent aux autres, c'était essentiellement parce que j'avais une fille dans la tronche. Elle était assise deux rangs derrière moi sur la droite, se prénommait Françoise, s'avérait être la fille du percepteur, n'était pour rien dans le choix de l'ignoble métier de son père. Le prof de latin, taré notoire qui, j'en ai bien peur, a dû faire des petits, pas de chance pour vous les jeunes si vous êtes tombés par la suite sur quelqu'un de sa famille, le prof de latin, donc, supportait très très mal que je puisse préférer la regarder elle... J'ai parfois été séduit par l'intelligence d'un maître, sa façon d'essayer de nous rendre érudits! Celui-là manquait surtout de psychologie! Une fois, il avait poussé la petite couche de cervelle qui lui restait jusqu'à recommander à mon père de me faire suivre une carrière militaire! D'abord la danse avec ma mère, ensuite les enfants de troupe grâce à la débilité professorale, pas étonnant que j'en aie par la suite gardé des séquelles! En résumé, suis obligé de reconnaître avoir toujours adoré les filles... Si de surcroît j'avais à choisir avec la guerre des Gaules!

Pour en revenir à Françoise, je me dois d'être honnête. Je ne l'ai embrassée qu'une seule fois, dans l'entrée de la bibliothèque municipale, un jour où, manque de bol, le censeur du lycée avait choisi de déambuler dans les parages!

Pas très stimulant. Jamais été très friand des voyeurs, mateurs en tous genres... Toujours eu plus un faible pour l'intimité que pour le déballage... L'aventure se termina faute d'autre rencontre.

J'ai su, par la suite, qu'elle n'avait pas mis long-temps à se consoler. Se consoler de quoi d'ailleurs? J'avoue que je me pose encore la question... L'autre, le successeur, le *sex symbol*, enfin celui que je suis obligé de haïr aujourd'hui, tant le mal qu'il me fit me cloua au sol, je plaisante, je plaisante, je ne savais même pas à l'époque qu'il existait, je ne me faisais donc pas de soucis, l'autre, en tout cas, moins abruti que moi, surtout beaucoup mieux organisé, emmenait la belle chez lui... Comme il vivait quasiment seul, vous imaginez aisément qu'elle n'a pas dû perdre beaucoup au change!

Mon père, toujours lui, devait des années plus tard m'affirmer qu'un amour d'un jour ou un amour d'une vie, c'était aussi important... Au cours de l'épisode prédécent, il tenait un langage quelque peu différent.

Il restera à jamais un grand. Avoir eu le cran de balancer au sien de père qui lui soutenait qu'il lui devait le respect que le respect ne se doit pas, il se mérite! Chapeau, il fallait le faire... Cette petite anecdote édifiante m'a toujours plu.

Quitter cet appartement, m'enfoncer dans la rue, oublier ce peu de moi qui reste encore accroché à ma mémoire, arracher sans avoir à y revenir cette peau qui finalement me va si mal, quelles que soient la couleur des apparences, l'idée que se font les autres de mon identité, leur faire enfin savoir que celui qu'ils avaient cru connaître, mais connaît-on jamais, est mort, qu'il n'a que l'air vivant...

Persuader ma conscience, ou ce qu'il en reste, que tout est encore possible, que le mot *définitif* n'a finalement que la valeur qu'on veut bien lui accorder, ne pas se résigner à croire que c'est déjà trop tard.

Qu'est-ce que je vais leur raconter à l'agence?

Je vais juste leur porter les photos, foutre le camp...

Au moins, si elle les appelle, je sais qu'elle va le faire, ils seront incapables de la mettre sur la voie... Incapables de me trahir... On ne trahit que quand on sait.

Cinq

PARIS: *EXTÉRIEUR JOUR/FIN DE JOURNÉE*

Les rues de Paris, le boulevard Saint-Germain, le vieux sac que je traîne toujours avec moi, sale, défoncé, témoin fidèle de mes partances. Presque rien dedans, de quoi tenir quelques jours, quelques semaines, sans le visage de ceux que je ne veux pas voir, le son du téléphone, cette certitude de l'entendre, elle que je gomme. Le sac, un vieux Leica M3, au cas où quand même il faudrait que je me souvienne, de quelqu'un, d'un endroit précis... le Leica pour que se fixe l'instant, que le repère dans la tête soit encore plus fiable.

Vivre, sans journaux, sans nouvelles du monde, oublier jusqu'à la couleur rouge des photos ramenées, faire le vide... Je n'aurai jamais appartenu à la famille des fous furieux qui ne décrochent que le jour où la mort vient franchir le passage protégé semblant conduire du viseur à l'image à tout prix, le témoignage obligatoire, ce presque voyeurisme par certains érigé en conduite. J'ai parfois su jusqu'où ne pas aller, quelle était la frontière de l'infranchissable, où commencerait pour moi l'infamie! J'ai dû me laisser entraîner, sûrement, parce qu'à certains moments l'envie de prouver était la plus forte... Mais prouver quoi, à qui? Mettre en avant mon courage, mon talent, ma vision personnelle de l'événement, montrer à quel point je pouvais être irremplaçable?... Inepties, vraies fadaises, prétention mal placée, j'avoue, j'avoue! Je ne pourrais plus! Livrer à la foule qui se pose rarement de questions, ou si peu, des scènes insoutenables, intolérables, situations digérées à la minute même où elles auront quitté l'écran, la page du journal déjà lue.

Certains diront, c'est facile, qu'on ne s'habitue jamais, qu'on n'est jamais indifférent à la souffrance, qu'un jour ou l'autre, qu'on le veuille ou non, on se fissure. J'en connais qui s'en voudraient de faiblir, qui ne se laisseront jamais aller à ce qui pour eux ressemblerait à de la faiblesse...

Une fille, un jour, à Beyrouth. Belle, sûre d'elle, des appareils tout neufs. Elle demande où sont les francs-tireurs, de quels toits tirent les *snipers*. On est dans l'hôtel, juste en face des toits dont elle parle. La place est blanche, plein soleil, midi. Quelqu'un lui conseille de ne pas sortir, ils n'attendent que ça... Elle s'en fout, elle y va. Une balle en pleine tête... La photo de sa vie.

L'avion de Los Angeles, pas à cause d'Hollywood, de l'imaginaire collectif, rêve bon marché, légende à la peau dure, mais parce qu'on ne choisit pas l'endroit où sont ses amis... déjà tellement étonnant d'en avoir, des êtres à qui des années plus tard se confier, comme si on s'était quittés la veille, sans sous-entendus, sans questions ni mensonges. La joie de se revoir parce qu'on s'aime... Simple, simple.

Tout faire pour eux si jamais le besoin devait s'en faire sentir, tout donner sans chercher à recevoir, simplement parce que vous les aimez, qu'ils vous aiment, qu'ils agiraient de même...

Habiter New York à douze ans, des années plus tard découvrir l'autre côté, la face de l'Amérique caressée par l'infini du Pacifique, drôle de choc!

J'avais gardé de la «grosse pomme» des impressions indéfinies, floues, odeurs, éclairages étranges, vapeurs qui s'échappent des trottoirs dès que l'hiver repeint l'Hudson River... traversées de Harlem à la nuit tombée, quand les regards hostiles s'attardent sur les peaux blanches pour faire comprendre au gamin que j'étais combien sa présence en ces lieux était peu souhaitée. L'ensemble restait pourtant fascinant. Nous vivions dans deux pièces, n'invitions personne faute de place. Les rapports avec ma mère étaient quelquefois très tendus, c'est vrai qu'en aucun cas je n'étais facile à vivre, l'envie de choses superflues me rongeait... nous n'avions pas les moyens des autres familles du lycée, Alexandra me bouffait la tête, mais le souvenir que je garderai de cette période demeurera intense, important. Certaines de mes lignes de vie à venir ont vu le jour à cette époque. En revanche, pour ma mère, le problème demeurait entier: elle ne savait plus quoi faire de moi, tant je commençais à ressembler à ces gosses insoumis qu'elle avait en horreur!

Los Angeles, la première fois, ce fut aussi avec elle.

Devant moi un univers totalement différent du sentiment que m'avait laissé l'Amérique. Ma chère maman aura, dans sa vie, fait deux choses essentielles pour moi: tout entreprendre pour que je puisse parler anglais, agir en sorte que me ronge le virus des voyages.

Pas étonnant cet avion aujourd'hui, recherche d'un temps passé, d'un temps peut-être gâché ou mal utilisé, un temps à rattraper à tout prix.

Une des hôtesses ressemble à Nastassja Kinsky ou à Ingrid Bergman. Peu importe. Toutes les deux sont irremplaçables, de *Casablanca* à *Paris Texas*, leurs visages, leurs attitudes, leur charme diffus auront fait de moi un inconditionnel.

Quand je pense qu'un des deux frères scénaristes de *Casablanca* déclarait récemment à *Cinémas Cinéma* que ce film faisait partie d'un lot normal de films anodins de série B, à la différence près que dans tous les autres films de la série la fin était écrite! Il ajoutait que dans *Casablanca* le personnel de la Warner s'était mobilisé pour qu'on sache enfin si Bergman restait avec Bogart ou pas. La fin, la phrase: «Qu'on arrête les suspects habituels!» devaient venir d'un coup à l'esprit des deux frères un matin où ils descendaient Laurel Canyon pour se rendre aux studios. Celui qui racontait l'anecdote semblait toujours étonné du succès de ce film devenu une référence... Que ceux qui n'ont pas été bouleversés en entendant Ingrid Bergman dire: «*Play it again Sam!*» lèvent le doigt... Je prendrai les noms en sortant!

Souvenir de *Sonate d'automne*, projeté dans un autre avion... L'émotion, énorme, magnifique. Le charme, encore, la toujours beauté d'Ingrid Bergman, qu'importe le poids des années... Magie qui résiste à toutes les épreuves, même celle du temps.

— C'est la première fois que vous allez à Los Angeles?

La question tombe du ciel. J'étais si loin...
La voix est assurée, douce mais ferme, décidée.

— ... Je sais... C'est osé d'adresser la parole à un inconnu... Mais onze heures de vol, onze heures avec d'un côté un buveur de bière, charmant au demeurant, mais pénible, pénible, de l'autre une ex-héroïne de *Dynasty* persuadée que sa vie n'est qu'un long cauchemar dont elle veut me faire partager les affres... Onze heures dans ces conditions, je renonce, je jette le gant, j'abdique... J'ai de la constance, mais je rends les armes... Tout ça pour essayer de vous expliquer le pourquoi de l'audace de ma conduite! Je vous assure qu'autrement je ne me serais jamais permis de vous déranger... Voilà... Je pense que dans ce cas de figure, si vous ne me répondez pas, c'est quasiment non-assistance à personne en danger... Si! Si!... Je vous jure que c'est vrai... D'ailleurs, si je n'avais pas senti que vous mouriez d'ennui, même poussée à bout j'aurais hésité. Mais là!... Vous verrez, je suis très distrayante, follement envahissante, à tel point que vous allez être perdu quand je partirai!... Bon... J'arrête... J'ai fait de mon mieux... Je bats en retraite!

J'ai rarement entendu un tel discours, un tel débit, une assurance pareille... Je relève la tête, j'ai du mal à articuler:

— ... Ne vous excusez pas... Tout va bien... Tout va bien! J'étais loin de m'ennuyer, mais je suis ravi que vous me parliez... C'est une excellente surprise... Moi je n'oserais jamais le faire, mais je sais que j'ai tort, je passe souvent à côté de gens sympa... Après, je regrette!

Elle est agenouillée sur le siège devant moi, les coudes sur le dossier, me regarde en souriant.

— Je manque à tous les usages... Je me présente: Kim!
— ... Reine...
— ... Reine?... C'est votre nom, Reine?... Première fois que je rencontre quelqu'un qui s'appelle comme vous... C'est étrange, inhabituel... Vous pourriez me dire d'où ça vient... À moins que vous n'y teniez pas... C'est beau en tout cas!

J'hésite:

— ... Franchement, je vais avoir un certain mal à vous répondre... On m'a toujours surnommé comme ça... Alors le pourquoi, le comment... difficile à dire... De toute façon, quelle importance, c'est pas vraiment passionnant!... Si?

Elle rit.

Elle est brune, les cheveux très courts, les yeux très très bleus, presque violets avec des reflets verts, une Jean Seberg pas blonde. Elle doit avoir un âge où on peut encore dire son âge. Elle est belle comme tout, me parle... Je me demande dans quel scénario je suis tombé, dois avoir l'air complètement hébété... Surtout ne pas se réveiller, ne bouge pas, ne bouge pas! Elle pourrait s'envoler, disparaître, retourner dans le rêve d'où elle vient, déjà me faire souffrir...

Elle me fait penser à Marie... J'étais en première...

Elle aussi était belle, diaphane, attirait la lumière... J'étais le dernier à oser penser qu'un jour j'aurais pu lui plaire, n'avais pas ce genre de certitude stupide, étais même certain du contraire!

Elle me regardait des fois, je la dévisageais souvent.

Je lui parlais des fois, elle me répondait toujours. Un après-midi de janvier, je lui avais timidement demandé, certain qu'elle dirait non, si je pouvais faire des portraits d'elle... Elle avait répondu par l'affirmative.

On aura marché des kilomètres dans le parc de Saint-Cloud, sous un ciel étrangement bleu pour un 31 janvier, un ciel qui semblait se préparer à des choses peu ordinaires... J'avais eu du mal à me concentrer sur les photos, mais j'étais bien, presque heureux.

Dans une allée qui n'en finissait pas d'être longue, déserte, elle m'avait suggéré de mettre mon appareil photo dans le dos, m'avait embrassé sans que je puisse m'y attendre, ajoutant avec un petit sourire qu'elle avait ce genre d'idée en tête depuis déjà un certain temps.

Les filles décident, les mecs subissent, quoi qu'ils disent, quoi qu'ils pensent... Les filles sont beaucoup plus fortes, surtout quand elles ont le visage de Kim.

— Vous n'avez toujours pas répondu à ma question!...

Elle me fixe, les doigts croisés sous le menton. Je suis perdu.

— ... Vous me demandiez quoi?... Ah oui... Je me souviens!... Vous vouliez savoir si c'était la première fois que j'allais à Los Angeles?... C'est bien ça?...

Elle acquiesce, silencieuse.

— ... Non, c'est loin d'être une première, j'y vais en fait assez souvent, trois quatre fois par an... Des amis là-bas, des vrais, des rares, éternels, la race de plus en plus introuvable, espèce protégée... Quand je rentre à Paris, je vais mieux, bien mieux... des gens positifs, très rare de nos jours!

Elle reprend, presque grave:

— ... Vous avez besoin de changer d'air à ce point?...

Moqueuse:

— ... J'ai un peu honte de vous poser des questions pareilles! Je suis ridicule... Je ne vous connais pas, je vous agresse, je me mêle de ce qui ne me regarde pas, il faut toujours que je parle, que je donne mon avis, je ne changerai jamais... Je suis sincèrement désolée... Ne me répondez pas... Je suis incorrigible!

Devant mon silence, elle se redresse, me lance:

— Je vous laisse... Je reviendrai plus tard, si vous permettez?... Je serai moins indiscrète, moins mal élevée... Enfin j'essaierai!

Elle s'éloigne dans le couloir.

Très déroutants les avions. Certains en ont peur au point de n'y jamais mettre le bout du doigt, pour d'autres, dont je suis, endroits où les racines s'effacent, les personnalités se dévoilent, les langues se délient. Instructive l'attitude de ceux qui attendent dans une salle de transit d'aéroport, comme rassemblés par les mêmes angoisses, le même scepticisme. Ils partent pour des voyages d'affaires, missions sinistres, lunes de miel, besoins d'ailleurs... Vies, univers qui se rejoignent sans se toucher, qui juste s'effleurent, se devinent, se respirent sans s'abandonner... De temps en temps le miracle, le déclic... Elle en fait partie. Pourquoi moi quand nous sommes des centaines à jongler avec les fuseaux horaires, des milliers à nous prendre pour Icare, ailes déployées prêtes à caresser le ciel d'encore plus près comme si l'azur pouvait encore se laisser apprivoiser?... Combien d'existences changent sur des rencontres? Certains parleraient de Destin, d'autres seront à jamais incrédules... Pourtant!

À croire que le coup de foudre fait peur, qu'il ne soit que physique, envie de se toucher au présent immédiat, ou sournois, quand tout est là avant que rien ne se passe, impalpable évidence réduisant les autres aux seconds rôles, silence réinventé au cœur de leur discours, disparition définitive de leur existence, ne reste plus que vous, seuls personnages vivants d'un dessin animé.

À une époque, j'attendais tout le temps...
Rien n'arrivait!

Attendre, quelque chose, quelqu'un, une révélation qui vous mettrait enfin sur les traces de celui que vous êtes vraiment... Quand vous arrêtez d'attendre, ou vous avez trouvé, ou vous êtes mort.

Vanessa a dû téléphoner un certain nombre de fois depuis mon départ. Lâcheté de ma part, refus des mots, de l'affrontement, d'une situation que je voudrais n'exister pas, refus de m'avouer que depuis des mois on a peut-être fait semblant d'être heureux... Impression par ailleurs que sûrement pas.

Je l'avais, coïncidence, rencontrée dans un aéroport. Marié à l'époque, j'avais, encore plus que d'habitude, une envie folle de fuir, d'échapper coûte que coûte à ce quotidien-là.

Toujours voulu m'enfuir quand la présence de l'autre commençait à représenter une entrave à mon indépendance!

Encore neuf heures de vol, neuf heures à tuer. Dans la tête, ce mélange curieux, sucré salé, culpabilité, liberté retrouvée, envie d'amour fou, chambouler pour mieux, peut-être, reconstruire.

— Vous allez à l'hôtel ou chez vos amis?

Elle est là de nouveau, appuyée au siège, me dévisage avec une expression que je ne lui connais pas. Pris encore une fois par surprise, je bafouille:

— ... Un de mes amis est musicien. C'est quelqu'un d'assez connu aux États-Unis... Il a joué avec tout un tas de gens célèbres... Ne me demandez pas qui, je ne saurais pas vous dire dans le détail, mais quelques *stars*... Il habite dans la vallée de San Fernando, à quinze minutes d'Hollywood, une petite baraque sympa... Quand ça nous prend, on fait de la musique ensemble, comme ça, je grattouille, je pianote, mais au moins, pendant ce temps-là, je ne pense à rien d'autre... Alors peut-être que je vais d'abord aller là, quelques jours, après, mystère, je verrai!... Moi, vous savez, non, vous ne pouvez pas savoir, j'ai pas envie d'organiser!... D'habitude, je fais des photos, surtout dans des pays en guerre!... L'agence pour laquelle je travaille passe son temps à essayer de planifier ma vie, c'est bien quand ça s'arrête.

J'ai parlé sans réfléchir, réalisant d'un coup le peu d'importance que doit représenter pour elle, ou quiconque, le fait que je sois photographe... Toujours mon ego démesuré, imaginant que mon parcours puisse intéresser les autres!... Elle va croire que je cherche à l'impressionner!

— Tout à l'heure, il n'y a pas très longtemps... je m'en souviens, vous m'avez demandé si c'était la première fois que j'allais en Californie... Je vous retourne la question: en ce qui vous concerne, est-ce que c'est une habitude?

C'est son tour d'être étonnée, de ne pas répondre. Elle me regarde curieusement, comme sur la défensive... Le silence est long. Elle se risque:

— ... Je vous ennuie, n'est-ce pas? Je vois bien... Vous essayez de meubler la conversation, vous êtes plein de sollicitude, mais au fond je sens que je ne suis pas vraiment la bienvenue... *Sorry!* Désolée!... *Next time* peut-être!... Après tout, c'est très petit la Terre, on ne sait jamais... Si un jour nos fantômes se croisent, qui vous dit qu'ils ne seront pas heureux de se revoir, de se parler?... Allez!... Je vous abandonne à votre solitude... Elle en prend de la place! Je ne fais décidément pas le poids!

Je la vois qui s'en va. Je n'aurai pas bougé, pas bronché, pas esquissé le moindre geste pour la retenir. J'aurais pu lui confier que non, elle ne m'ennuyait pas, au contraire, que pour quelques courtes, trop courtes minutes, elle m'avait fait du bien... j'aurais pu être détendu, normal, attentif à quelqu'un que le hasard avait mis face à moi... Au lieu de quoi je l'ai jouée distant, indifférent, dérangé pendant sa méditation... indécrottable demeuré!

Avoir toutes les audaces, ne pas hésiter à avouer des sentiments sincères à ceux qui nous les inspirent même si cela semblerait parfois un peu précipité, assumer de but en blanc l'attirance qu'on pourrait éprouver pour une autre, pour un autre... toujours le grain de sable, la résistance au mécanisme de la simplicité. Timidité? Inhibition? Peur de l'échec? Mais quel échec, quelle peur? Que risquer si on ne risque pas d'être heureux?... Idioties!

Me réveiller un matin, être subitement devenu autre, profiter de l'instant, sans bouillie bizarre dans le crâne... Elle était là, me parlait, j'étais bien, je l'ai laissée partir!... Surréaliste.

Que peut-elle faire de ses journées? Qui aime-t-elle? Qui l'attend? Qui la serre dans ses bras des nuits entières? Qui?...

Qu'est-ce que je fais dans ce siège à me ronger, à supposer, à me déprimer à cause d'une fille venue s'appuyer au dossier devant moi?

Ciel rouge sur Los Angeles, dominos des rues éclairées sur des centaines de kilomètres, cet avion qui n'en finit pas de descendre, cet objet volant identifié qui va me la faire perdre pour toujours dès qu'il sera posé.

Je passe l'immigration. Kim est près de moi aux bagages, prend son sac. Je lui emboîte le pas. J'ai besoin de savoir, plus fort que moi... long couloir jusqu'à la rue, interminable, on n'en finit pas de marcher. Elle n'a l'air de chercher personne, pose ses affaires sur le trottoir. Je m'approche, un peu gêné, me jette à l'eau:

— Je n'ai pas été très bavard tout à l'heure... Ne m'en tenez pas rigueur, ce serait dommage, pour moi en tout cas... Je vous fais des excuses... Acceptez-les, je vous en prie, c'est très sincère!

Elle met du temps à se retourner, me regarde, ailleurs... Je continue sur ma lancée:

— ... Si vous vous trouvez parfois incorrigible, moi je me trouve impardonnable... Je suis comme vous, je ne fais pas exprès... J'ai l'habitude d'être seul, largué, ne pensant qu'à ce pourquoi je suis là, j'essaie de faire mes photos comme je peux, je me cale sur les événements, j'agis en fonction, je n'ai que rarement le temps de réfléchir, ça va très très vite une guerre, ou une révolution, on ne parle pas, on se renferme, on a la trouille, on devient moche, usé par ce qu'on voit, par ce qu'on montre... C'est pour ça que je m'en vais souvent... Alors les belles jeunes filles qui m'abordent dans les avions... Elles m'intimident, me font rougir intérieurement... Je finis par devenir con, ce que vous avez pu constater pendant le voyage!... Dites-moi que vous ne m'en voulez pas!... J'aimerais bien poursuivre cette conversation, pardon, je devrais dire ce monologue, pendant votre séjour ici!... Vous pensez que c'est faisable?... Croyez-moi ou pas, je n'aurai pas à faire d'effort pour être concerné!

Elle a toujours son regard étrange, dessine l'amorce d'un sourire, me demande si je connais par cœur le numéro de téléphone de l'endroit où je risque d'être... Je le griffonne au dos de son billet. Elle s'engouffre dans un taxi. Clap de fin.

Six

LOS ANGELES: *INTÉRIEUR NUIT*

— Welcome back!... Tu es encore, *how would you say?* revenir, revenu? C'est très grand plaisant... non, plaisir pour moi de vous voir... on peut dire ça?... non, de te voir!

Il me tend une coupe de champagne, me souhaite la bienvenue avec son accent inimitable, les quelques mots qu'il va chercher très loin dans ce qui lui reste de ses rares cours de français. Il reprend:

— ... Fini les guerres, tu fais plus la photo? Tu as envie de la *California*, froid à Paris?... Tu venir sans Vanessa?... Elle va bien?

— ... Tu sais, Will, j'avais envie d'être seul, sans elle, sans mes guerres, comme tu dis... Envie de vacances, d'ailleurs. Merci de me supporter encore une fois!

Il éclate de rire. Je regarde autour de moi. Je me sens si bien ici.

La maison est spéciale. Studio d'enregistrement en plein milieu du salon, canapés blancs, bois autour, murs beiges, ambiance. Pas de traces de fille installée à demeure, la caverne d'un vieux célibataire. On se ressemble un peu, il ne tient pas en place, donne le sentiment de se chercher une existence... Disques de platine un peu partout, en vrac, disques de ceux pour lesquels il a écrit des chansons. Posée sur une petite étagère, la récompense la plus enviée par ceux qui touchent de près ou de loin au cinéma: un oscar!... Je me souviens qu'il m'avait téléphoné en pleine nuit pour me faire partager son émotion quand on lui avait remis la statuette. Ce type est bourré d'argent, collectionne les succès, est au cœur d'une spirale de réussite, s'ennuie, claque une grande partie de son blé pour faire autour du monde des voyages avec ses amours du moment. Il croit chaque fois qu'il va les aimer à jamais!

Chaque fois, il déchante, retombe, compose d'autres chansons, gagne de l'argent, recommence. Je l'observe. Toujours en train de vouloir me prouver que le vin californien aurait les qualités d'un bordeaux...

Encore une bouteille qui va faire les frais de sa démonstration!

Bruits de la nuit, chaleur sèche. Le vin est effectivement très bon, la salade excellente... C'est drôle qu'il m'ait demandé des nouvelles de Vanessa... il ne l'avait pourtant pas vue souvent, mais il est vrai qu'elle aura toujours marqué les gens qu'elle croisait,

Vanessa qui a le talent de faire les meilleures salades du monde, où qu'elle aille, avec rien. Elle a la main, le don, la façon... Personne ne peut prétendre à mieux, personne!

Finalement, tu prends un avion, tu crois tout quitter parce que tu es au bout, à l'endroit où tu sens que les chemins doivent se séparer, tu penses effacer de ta conscience ces restes d'univers où surnageait ta vie, ces chaînes que tu tisses, que tu supportes, qu'en vérité tu aimes tant qu'elles te seraient indispensables, ces obligations créées de toute pièce par ta volonté... Finalement, tu crois avoir laissé tout ce qui pèse à la consigne, le seul fardeau qui partout te plie, te tue, t'empêcherait d'être, c'est ta mémoire! Celle-ci est en train de me jouer des tours. Je peux bien essayer de me convaincre que je n'attache plus à Vanessa qu'une importance relative, il aura suffi d'une réflexion de Will pour que je me rende à l'évidence: la vérité est brutale, cinglante, difficile à avaler mais indéniable... Vanessa est toujours là, un tas d'événements de ma vie passent par elle, référence absolue, comparaison irremplaçable... L'oublier? L'effacer d'un coup d'éponge? Ça ne coûte pas cher de rêver!

Avec Will, si chacun veut vivre sa vie, muré dans son silence poursuivre en solitaire un chemin pris à deux, jamais de problème, de sautes d'humeur, d'incompréhension... Amis.

— Tu as l'air *sad*... triste... mon ami, qu'est-ce qui *upset you*... vous fait du la peine?

Il me connaît si bien, j'ai beau faire semblant, il sait que je vais mal.

Paradoxe!... J'aurai tout fait pour partir, brouiller mes traces, effacer peu à peu les marques profondes qui jour après jour me rendaient plus fragile, rompant par leur présence le peu d'équilibre qui me restait. J'aurai tout tenté pour faire le vide... plus je les aurai brouillées, ces traces, plus elles seront restées, profondes, indélébiles!

Los Angeles, des années en arrière. Avec Vanessa, on découvre des endroits qui nous font vibrer, des maisons planquées dans les collines, un certain restaurant mythique à l'entrée du Malibu Pier, la couleur orange mauve du ciel à cet endroit-là aux heures différentes de fin du jour. Impossible de revenir sans tout associer à elle... Première fugue, premier exil, jours volés à un temps que nous savions compté! Aujourd'hui encore, temps compté, tarif double, ou presque... les années ne font jamais cadeau de rien! Je n'ai plus souvent été confronté avec l'insouciance, depuis.

Alors, bien sûr, envie redoublée de bonheur. Longtemps, consciemment ou pas, j'ai eu tendance à jouir de mes états de mal être. La situation installée, je laissais le prédateur faire son travail, regardais s'étendre les dégâts sans chercher à intervenir le moins du monde... Ça devenait vite dramatique, même si les données de départ étaient, quand on prenait le temps d'y réfléchir, d'une simplicité enfantine!... Mon père doit être comme ça... Je dis des conneries! Qu'est-ce que j'en sais?...

Ne serais-je pas en train de chercher la façon la plus simple d'excuser mes inconduites, mes passages à vide, mes exhaltations soudaines? Aisé de prétendre que tout est dans les gènes, plaider l'ir-responsabilité!

Je devrais avoir honte de comparer son cas au mien... le courage qu'il faut pour ne pas se laisser glisser suite à la mort de celle qu'on aime... le nombre de nuits traversées par lui, sans dormir, avec au fond du ventre cette douleur, cette tristesse infernale que personne au monde ne pourra jamais partager. Personne ne pourra rien pour toi, personne ne pourra te rendre l'amour de ta vie... de là à aller la retrouver... juste un tout petit pas! Ce genre de souffrance extrême doit rendre très nihiliste, ou alors à jamais philosophe... en découle sûrement une appréciation des valeurs différente... Comme la somme de mes problèmes paraît dérisoire en comparaison!

Un Témesta pour dormir, balayer le décalage horaire.

Réveil très tôt, plafond bleu du ciel. J'émerge... avec difficulté, accompagne Will dans un endroit où certains musiciens de Los Angeles entreposent leurs instruments entre deux concerts, deux tournées, deux séances d'enregistrement... Tas de *flight cases* empilées, sur des centaines de mètres carrés. En blanc, sur la tranche, des noms qui me font sursauter tant ils éveillent en moi de souvenirs anciens, précis: Fleetwood Mac, Eagles, Poco, Joe Cocker. Hallucinant!... Assemblée de guitares, claviers, batteries attendant le bon vouloir de leurs propriétaires. Will m'explique que le tôlier collectionne en plus les guitares, par plaisir, qu'il passe une grande partie de l'année à la recherche de perles rares.

Toutes ces pièces de musée sont accrochées aux murs d'un grand bureau. Will adore... les détaille une après l'autre, a les yeux qui brillent quand il les regarde... Un vrai gosse! Je fais semblant d'être émerveillé.

Sur le répondeur, quand on rentre, un message de Kim, laconique. Un numéro si je souhaite la rappeler. La voix est belle, un peu lointaine:

— Salut!... C'est Kim... En cas de perte de mémoire due à quelque excès ou autre excitant, Kim est le nom d'une emmerdeuse rencontrée il y a quelques jours dans un aéroplane, une créature envahissante, moitié folle, légèrement collante, une fille à qui vous avez eu peur de confier que vous en étiez tombé immédiatement très très amoureux!... Bref, si par le plus grand des hasards vous aviez envie de prolonger cette conférence avortée, je vous laisse le numéro où je suis: code 213... le téléphone 654-9543, c'est à West Hollywood, à deux pas de Fountain, un *block* au nord de Santa Monica. Je laisse ce message en français pour être sûre que les secrets qu'il contient ne seront pas interceptés par une intelligence ennemie!... Ce message s'autodétruira dans les dix secondes. *Hasta luego!*

Je ris tout seul. Will ne comprend rien. Je lui avais pourtant recommandé maintes fois de mieux apprendre la langue de Molière... Maintenant, il regrette de ne pas participer à la rigolade... Je traduis. Il partage.

Je décide de rappeler Kim sans attendre.

Voix chaude cette fois, toute proche. D'entrée, comme si nous étions toujours dans l'avion:

— Bravo! Il a osé, malgré mon message de cinglée! Quel courage, vous ne reculez devant rien, une vraie force de la nature, ou alors je vous manque à un point tel que vous n'avez pas pu résister plus de dix secondes! Bienvenue sur ma ligne! Finalement, vous avez un certain sens de l'humour... Je vous préfère comme ça que coincé... si vous voyez ce que je veux dire! À propos, pour répondre à la question posée dans l'avion, celle restée sans suite, je suis née ici. Ça ne s'entend pas, mais j'ai vécu aux U.S.A. jusqu'à douze ans... ensuite Paris. Mon père avait été nommé à l'ambassade... j'ai suivi. Pour en revenir à votre mémorable plaidoyer, vous savez, l'envolée lyrique sur le trottoir de l'aéroport. J'ai moi aussi, je ne devrais pas le dire, mais je le fais, j'ai très envie de continuer à vous ennuyer, vous revoir, aller plus loin dans nos rapports impossibles... continuer à vous empêcher de parler... je trouve que vous écoutez parfaitement... c'est si important de savoir écouter!... Vous êtes toujours là? Je sais, je suis bavarde!... Dernière confidence, j'aime bien les ours!... On peut se voir ce soir ou c'est trop précipité pour vous?

Cette fille me renverse... je ne suis pas du tout habitué à ce style de discours, ce genre de comportement... Elle me souffle, je reste sans voix, sans réaction, juste capable entre deux éclats de rire de lui expliquer à mon tour où je suis, l'entends me répondre qu'elle arrive, connaît la ville par cœur, ne va pas se perdre, sera là quand elle sera là, tout à l'heure, plus tard, le temps de venir... J'attends.

Il y a quelques années, j'avais, toute une nuit, allongé sur un banc devant la gare de Pau, attendu qu'une jeune fille blonde que je croyais aimer vienne me rejoindre dans la lumière spéciale d'un petit matin d'août ensoleillé. Étrange sensation quand je l'avais vue arriver... je ne crois pas qu'on s'y habitue jamais!

Will me laisse seul, part bosser chez un pote musicien avec qui il monte un groupe. Il compose les chansons de leur premier album.

La maison pour moi. Le téléphone à portée de la main. Appeler Paris? Dire où je suis? J'hésite, renonce. Savoir à quel moment je vais chavirer, découvrir mon point de rupture...

Je suis en train de m'assoupir, affalé sur le divan. Bruit d'une voiture enfilant le *driveway*. Le coup de sonnette me tire subitement de la nuit... La porte que j'ouvre sur la fille de l'avion. Elle porte un jean trop grand pour elle, tee shirt blanc, ballerines. J'aime ça! Peut-être pas très féminin pour certains mais moi j'aime!...

Elle me tend la main, balbutie une vague excuse pour son léger retard. Elle fait le tour de la maison, jette un œil sur les disques de platine, sur les Polaroïd que Will colle systématiquement sur les cloisons. Tout le monde a droit à sa tronche sur le mur, c'est la règle, l'usage. Dès qu'on passe la porte, Will aligne l'intrus d'un coup de flash, la dépouille se

retrouve aussitôt sur la paroi à côté de ses con-
génères! Kim s'assoit en tailleur au milieu du salon,
est chez elle, fait partie de cette race d'individus à
l'aise où qu'ils soient. D'une voix douce, presque un
murmure:

— Sympa ici! vraiment sympa!... J'ai l'impression,
sans vous connaître, que c'est le genre d'endroit qui
vous va bien... Votre copain doit vous ressembler...
un ours lui aussi... Je me trompe?

Je n'ai d'yeux que pour elle, la trouve étonnante,
différente... commence à me sentir mal, elle doit
évidemment s'en rendre compte, le dernier des de-
meurés s'en rendrait compte... tellement flagrant!
Je lui réponds en essayant de ne pas être trop sonné,
commence à la faire rire, me laisse aller, abandonne
imperceptiblement mon carcan de froideur, sens
que maintenant, de proche en proche, la terre
devient un rien plus ferme sous mes pieds.

Elle connaissait la ville beaucoup mieux que
moi, avait voulu qu'on aille dans un *sushi bar*, quelque part sur Sunset, semblait y avoir ses habitudes,
décidait de ce qu'il fallait commander, buvait de la
bière japonaise à petites gorgées, les yeux fermés.

Quand elle les rouvrait, ils brillaient chaque fois
un peu plus. Je m'aventurais toujours plus loin, dans
un état qui m'était inconnu depuis longtemps, un
état qui faisait que rien n'avait d'intérêt, qu'elle
seule importait... J'aurais prié pour que jamais ça ne
cesse, me voyais partir à grandes enjambées vers un
horizon incertain mais attirant, un monde encore

plus tentant que ce que j'imaginais quand je me disais qu'il serait peut-être bon de retomber vraiment amoureux, histoire de virer de mon cerveau toutes les images sales imprégnées.

Il devait être vingt heures à notre arrivée. À présent la salle était vide, serveurs dressant les tables du lendemain exceptés. Kim survolait sa vie, parlait beaucoup, des autres, assez peu d'elle. Il n'était toujours pas temps pour moi d'en savoir plus. Elle restait floue, entretenait le mystère, laissait le voile drapé.

Elle avait tenu à ce qu'on aille jouer les touristes, voir la ville du haut des collines.

Elle conduisait doucement sur Mulholland, comme si l'air chaud autour de nous avait le devoir de nous caresser longtemps... J'avais quand même appris, elle avait accepté de me dire qu'elle était étudiante aux Beaux-Arts, posait de temps en temps pour des photographes, histoire de payer son loyer, n'avait pas du tout envie de faire du cinéma, contrairement à ce que souhaitaient toutes celles qui, comme elle, passaient par le stade de modèles. Los Angeles n'était, dans son cas, que l'endroit où habitaient de nouveau ses parents, une étape sur la route d'Ensenada.

Ensenada... Elle y passait des jours, des semaines, seule dans des cabanes minuscules louées sur les plages toutes proches, vivait au fil de son bon vouloir, de l'air du temps, n'attachant, quand elle était sur place, qu'une importance relative au reste du monde. C'était sa façon à elle d'exister, le recul dont elle avait besoin pour pouvoir continuer à fonctionner. Elle se disait qu'après tout il serait toujours temps de voir, d'improviser.

Elle m'a raccompagné chez Will à cinq heures du matin.

On ne s'est pas touchés, même pas frôlés... c'était pire!

Tout était là à portée de souffle, à portée de cils, à portée de cœur. Elle avait décidé qu'on irait au Mexique, un jour.

Cette nuit-là, les forces alliées ont attaqué Bagdad.

Depuis un mois, la chose semblait inéluctable, l'Occident ne pouvait pas se permettre de prendre le risque de manquer de pétrole. Le passage à l'acte est toujours surprenant... J'avais, appartenant à une agence de presse, de bonnes raisons d'être au courant, de savoir que les actes semblables à l'invasion irakienne débouchent rarement sur la paix, mais mon départ avait fini par déconnecter ma conscience. Les bombes sur l'Irak m'ont subitement remis face à la réalité. La Terre ne s'était en aucun cas arrêtée de tourner parce que j'étais ici... la surprise était d'autant plus forte! J'étais un témoin indirect de l'événement, alors que j'aurais dû être parmi les premiers sur place. CNN émettait en permanence, mais ce soir-là nous n'entendîmes que le son...

Je me sentais décalé par rapport à cet univers-là. Tout me faisait penser à un certain mois de juillet. Quelqu'un allait pour la première fois poser le pied sur la Lune. La planète au grand complet devant la télé, images de mauvaise qualité, imprécises, neigeuses, gros plan d'une échelle sur laquelle, avec milliard de précautions, d'énormes bottes blanches descendaient des barreaux vers ce qui ressemblait à de la poussière.

Je crois que j'avais la vocation à l'époque. Je voulais être partout présent, voir, filmer, témoigner, faire partager... J'avais la foi! La vocation, émoussée, s'était transformée en métier, en routine. Je vivais l'événement sans jamais pouvoir intervenir, spectateur passif. Vanessa écrivait à merveille, racontait mieux que quiconque, savait, mieux que personne, être celle qu'on admire, qu'on écoute, séduisait qui elle voulait, quand elle le voulait. Elle avait longtemps supporté mes absences, mes départs inattendus, ce manque de moi quand j'étais loin. Elle surmontait aussi la peur qu'elle avait, la peur panique de la mauvaise nouvelle, de la balle perdue, la voiture qui saute, la mine antipersonnel, l'embuscade bien préparée... De mon côté, j'essayais de compenser nos séparations par beaucoup d'amour... m'efforçais vraiment! Période agréable. On pouvait vivre des choses l'un sans l'autre, on en discutait au point d'avoir l'impression de les avoir écrites ensemble... J'en suis sûr: on s'aimait, peut-être pas avec la force de ces amours torrides qui ravagent sur leur passage, mais avec la profondeur, la vérité de ces tendresses amoureuses auxquelles rien ne résiste parce qu'elles sont inattaquables, défendues à merveille, certaines de leur fait.

Imperceptiblement, la vie a dû dériver, sans qu'on s'en aperçoive, parce qu'elle avait eu un coup de cœur pour quelqu'un, était partie, que j'avais souffert comme rarement. Essayant de ne pas trop laisser paraître, j'étais devenu le héros qui morfle en silence, respecté au delà de tout parce qu'il a su rendre sa douleur muette.

Seulement, même muette, la blessure était là, enfouie mais présente, insidieuse...

Vanessa était rentrée trois mois plus tard. Je n'avais fait aucun commentaire, sais aujourd'hui qu'un rouage infime s'était cassé pour toujours. Je ne m'étais rendu compte de rien, avais obturé toutes les issues par lesquelles auraient pu sourdre mes larmes... je l'aimais. Kim, que je ne connais pas, ou si peu, déjà je suis jaloux de son passé, des mains qui l'ont caressée, de tous ces noms enfouis en elle, de ce qu'elle a pu donner aux autres, en actes ou en paroles. L'amour ou l'idée qu'on s'en fait!... irrationnel!... Comment expliquer de quelque façon cet infini manque d'elle qui m'oppresse? Comment me raisonner quand je sens que je cours peut-être au désastre, que ce qui m'attend a autant de chances d'être remarquable que nul? Peu importe le milieu, l'éducation, les idées préconçues qui nous habitent, qu'on défend jour après jour avec une conviction féroce, peu importe qui on est, quand c'est l'heure c'est l'heure, tout s'arrête, s'évapore, le recul, les autres, la raison... tout se barre, on se retrouve seul avec cette espèce de boule dans la gorge qui reste là, implacable. J'aurais pu vouloir tout faire pour ne pas penser à elle, je ne pensais qu'à elle... Vanessa était toujours présente, bien sûr, mais son aura brillait autrement.

Je n'étais pas jaloux d'elle, la voulais heureuse, avec ou sans moi! C'était, j'imagine, aussi de l'amour, une autre forme d'amour. J'avais raconté à Will l'épisode de l'avion. Il m'avait écouté, poli, intrigué, intéressé... n'avait jamais rencontré Kim, mais ma façon de la lui décrire, n'omettant aucun des détails qui m'avaient tant frappé, faisait qu'elle devenait quelqu'un à qui il commençait déjà à s'habituer, une étrangère qui phrase après phrase se transformait doucement en membre de sa famille. Peu à peu, il en venait à croire qu'elle existait depuis toujours.

Will, ses réflexions sur les filles!... Sa façon désinvolte d'aborder le sujet cachait une infinie tendresse, surtout un manque... il aurait donné n'importe quoi pour être amoureux!

Il devenait amoureux de Kim par procuration.

J'ai laissé passer deux jours.

J'ai appelé Paris. Pas Vanessa, l'agence.

Je n'ai pas dit où j'étais. Ils ont dû se douter que je me trouvais assez loin. Philippe m'a simplement fait part de la visite de Vanessa, de son inquiétude, de son désarroi. Je me suis senti salaud, coupable, en dessous de tout, mais curieusement, sans regrets. Il m'a quand même fait comprendre que ma présence aurait été souhaitable en Irak, ou dans le Golfe, que mon billet était prêt, que je n'avais qu'à préciser quand je rentrais. Je n'ai rien ajouté, l'ai laissé se débattre avec ses états d'âme...

J'avais assez des miens!

J'ai coupé en une seconde les derniers fils de ma vie.

Sept

PARIS: CHAMBRE DE VANESSA/NUIT

—J'aurai attendu longtemps avant de me rendre à l'agence. J'en aurai laissé des messages, des messages, tout raconté à mes copines, celles sur l'épaule de qui on pleure quand on n'en peut plus, celles qui sont là même aux mauvaises heures, les heures du bout de la nuit, ces moments où le moindre bruit fait peur, instants où toutes les ombres terrifient... Elles m'auront rassurée... Elles auront au moins essayé, avec leurs mots, leur gentillesse, leurs explications, leurs certitudes. J'aurai fait semblant de les croire, mais aucune, de Betty à Claire, ne m'aura convaincue. Je serai restée prostrée des heures entières, comme si ma vie, d'un coup, s'était arrêtée, comme si la situation avait détruit mes fonctions, mes envies. J'aurai essayé de lutter, mais jamais je n'aurais pu imaginer que tu me manquerais autant, qu'autour de moi le monde aurait l'air si hostile. Ta voix, le son de ta voix... je veux entendre ta voix, le bruit de ta clé

55

qui cherche la serrure dans le noir, cette latte du plancher, juste après le bord du tapis, cette latte qui craque chaque fois que ton pied s'y pose... Mais rien, le silence, ton silence sur ma vie, silence que je maudis. On nous décrivait souvent comme deux moitiés... Je trouvais que ça faisait un peu cliché, mais ils avaient sans doute raison, les autres, ces autres qui en savaient tant sur le bonheur... j'ai perdu l'autre moitié de moi. Il va falloir que je me prenne par la main, que je sorte, que je dîne, que je voie des gens... J'en ai si peu envie, si tu savais! Imaginer une autre vie, sans toi, sans ce quotidien qui nous collait si bien à la peau... Il ne faut pas, je ne dois pas me mettre ce genre d'idées en tête... Reine, les choses de notre passé ne peuvent pas s'en aller comme ça! On aurait tout fait pour rien, pour juste en arriver au point de non-retour? Je ne suis pas forte, tu sais, même si j'en donne parfois l'impression. Même si j'ai raté des passages, il faut que tu m'expliques, que tu me pardonnes... Reine, on ne peut pas se quitter, se laisser... J'ai toujours su que je n'avais pas toutes les qualités! J'ai eu la faiblesse de tomber amoureuse d'Étienne, il y aura bientôt trois ans, mais c'était parce que j'avais besoin de croire en moi, de savoir que je pouvais encore plaire... Toi, tu n'étais pas là... Est-ce que tu as souffert? Tu serais bien ennuyé si tu pouvais répondre... Quand tu es rentré de ton reportage, j'étais là de nouveau. Même si tu avais pu croire que j'étais partie à jamais, j'étais là, je t'aimais. Tu prétendais que tu ne m'en voulais pas... tu te souviens? C'était ton grand mot, le pardon, ne pas avoir de ressentiment, comprendre! Qu'ai-je pu louper ou faire depuis, qu'ai-je oublié ou omis? Est-ce que j'ai manqué des sous-entendus, des allusions qui auraient du me faire supposer qu'il fallait chaque jour que je m'attende à te voir disparaître? Reine... où que tu sois... réponds! Je ne sais plus, j'ai trop mal pour bien penser, je suis incapable de réfléchir convenablement. J'en aurai mis du temps avant d'aller à l'agence voir Philippe, l'entendre me garantir qu'il ne savait rien, que les dernières nouvelles de toi étaient concentrées dans les cinquante-trois rouleaux de Trix X que tu avais laissés avant de disparaître de la circulation. Je m'étais sentie idiote, n'avais pas eu envie de poser des questions auxquelles Philippe n'aurait sûrement pas répondu. Il ne t'aurait jamais trahi. On trahit rarement ses amis.

Philippe n'avait pas menti.

Il n'aurait Reine au téléphone que quatre jours plus tard.

Il ne lui avait fait aucun reproche, de quel droit se serait-il permis? Il avait mentionné la visite de Vanessa, sentant à sa voix que Reine ne changerait pas d'avis pour autant, ne ferait en aucun cas marche arrière. Il ne pouvait pas dire pourquoi, mais il le pressentait. On ne disparaît pas par hasard. On ne reste pas par hasard sans donner signe de vie.

Huit

Je suis dans la jungle, l'air est épais, irrespirable, les lianes m'entourent, m'enserrent, m'étouffent... Je me débats, fais tout ce qui est en mon pouvoir pour sortir du piège, mais il se referme, besoin de respirer... plus d'air, je me réveille trempé. Il est à peu près trois heures du matin, je devrais dire de la nuit. J'ai dû tomber sans le vouloir, après tout ce saké qu'il m'a fait boire... bière saké, le mélange qui tue! La maison est calme. Will doit cuver, assommé par l'alcool arrosant ses éternels pétards. Il n'a pas évolué, en est resté à l'herbe, au joint! Moi, je ne peux pas, envie de gerber à la première taffe... personne n'est parfait! Il roule toute la journée, je me demande comment il supporte!

Quatre jours, si je compte bien, que je n'ai plus de nouvelles de Kim. Laisser choir, ne plus avancer vers ce qui ressemble à un mirage... La télé est toujours allumée, images du Golfe par satellite. CNN est incroyable! Avant la guerre, le programme s'intitulait: *Si demain la guerre* ou quelque chose dans le genre. La veille du jour J, changement, c'était devenu: *Préparation de la guerre*. Maintenant, roulements de tambours à l'appui, les émissions ont pour titre: *En direct de la guerre*, comme si tout, en fait, n'était qu'un immense jeu vidéo dans lequel il y aurait les bons, les méchants, les envahisseurs, les sauveurs!

Hallucinant! La mort devient si banale... Ce qui compte, c'est de vérifier le fonctionnement des équipements électroniques!

Certains vont mourir, des tas sont morts, déjà, sanglés dans des uniformes flambant neufs criblés de petits trous, presque apaisés, débarrassés, ensevelis sans sépulture, milliers de tonnes de bombes déversées, en vrac, par les alliés... La télé ne montre aucune image des massacres, du carnage légitimé!

Les Israéliens forcent mon admiration. Ils ont le courage, l'intelligence de ne pas répondre à la provocation, font en sorte de calmer le jeu, pour qu'on n'en arrive pas à l'irréparable...

Je ne suis pas sur place, n'en ai aucun regret, ne souffre d'aucun manque, j'ai envie d'être ici pour Kim. Pourtant, je ne le lui dis pas, ne lui téléphone pas, ne la vois pas! Attitudes contradictoires... spécialiste du contradictoire, pas par goût ou par jeu, simplement parce que je suis fait comme ça, pouvant passer d'une seconde à l'autre de l'excitation la plus complète au nihilisme le plus absolu. Humeurs changeantes, incompréhensibles, même pour moi! J'envie les êtres d'humeur égale, bonne ou mauvaise, je n'ai rien, après tout, contre le mec qui fait la gueule du matin au soir... au moins, on sait où on circule, pas de surprises. L'inverse: *idem*! Sauf que j'aurais tendance à penser que s'il se marre tout au long de la journée, c'est qu'il est légèrement irresponsable... Est-ce que ces individus seraient à encadrer, à mettre dans une vitrine avec la mention «Ne pas toucher, fragile de la tête»? Quand je me compare à eux, j'ai le sentiment que ce sont des mutants!... Moi, je me casse, me recolle, me brise à nouveau... ce qui me ferait ce que je suis... Mais qui suis-je après tout? Serais-je semblable à mon père qui prétend, affirme être un optimiste qui voit la vie en gris? Je l'ignore. Ce que je sais, en revanche, c'est que la phrase est magnifique: «Un optimiste qui voit la vie en gris»... À méditer.

J'aimerais vivre, avec Kim, une histoire belle, unique, prenante, inhabituelle, une histoire qui me redonne l'envie... Encore faudrait-il qu'elle aussi... Parce que ce genre d'aventure se vit difficilement tout seul, quel que puisse être le désir qu'on en ait!

Fin de matinée. Un mec débarque, cheveux sur les épaules, short, baskets. C'est un copain de Will, ancien bassiste de Poco, des Eagles. Air jeune, en forme, sain, bien dans sa peau, il pue la cure multivitaminique à plein nez, a dû tomber dans le lait tout petit, n'a pas changé de breuvage depuis! Les deux acolytes travaillent tout l'après-midi. Quelques mélodies banales, deux assez belles... musique californienne typique! Je traîne dans la maison. Piscine. Je réapprends doucement à perdre mon temps, ce temps dont je disais qu'il m'était compté... La journée s'étire, lentement.

Le soir, réception gigantesque chez un cinglé que je ne connais pas, avocat d'affaires bourré d'argent, ami d'enfance de Will, lui aussi de Chicago, un drôle d'illuminé qui s'est fait bâtir une ferme en plein cœur des collines de Hollywood! Vraie ferme, cachet de la poste faisant foi, vaches, moutons, chèvres, paons, poulets, tout ça aux abords immédiats d'une immense demeure remplie de gens insensés... vedettes du rock, adolescentes très très émancipées, vieilles dames persuadées qu'on en est toujours à l'âge du muet, que Douglas Fairbanks n'attend qu'un mot d'elles pour mettre tout le monde en pièces avant de les enlever sur un cheval blanc, que leur beauté inchangée leur donne toujours le droit de jeter sur les autres un regard quelque peu méprisant... Certaines se croient vraiment irrésistibles. C'est triste, tellement triste que j'ai presque du mal à sourire malgré le ridicule de la situation. Une d'entre elles est arrivée avec son verre personnel, rose comme les vêtements qu'elle porte, ne boit que dans son récipient la vodka qui remplit une petite fiole argentée, la serre précieusement contre sa poitrine...

Rencontre d'un New-Yorkais auteur de théâtre, chapeau de paille vissé sur la tête, moustache élégante, allure assez *bristish*.

Viennent nous rejoindre deux types. L'un a financé *Orange mécanique* de Kubrick... Sûrement une étrange impression d'avoir participé au moins une fois dans sa vie à l'élaboration d'une œuvre dont tout le monde s'accorde à dire qu'elle est inclassable! Cet homme avisé continue bon an mal an à toucher cinquante mille dollars avec ce film! Jolie rente!

Assemblée curieuse de producteurs sur le retour, étoiles finissantes, Lolitas aux dents longues... Moi, je viens de Paris, devrais me sentir agréablement dépaysé, n'ai qu'un désir: partir de l'endroit où je suis! Will, en grande conversation avec un autre de ses innombrables copains, commence à être sérieusement de bonne humeur, pour ne pas dire copieusement éméché!

Je trouve une bonne âme pour me ramener, m'écroule sur le lit en arrivant. Énorme envie de téléphoner en France... je n'en fais rien. Au lieu de Paris, je fais le numéro de Kim, qui bien sûr n'est pas là. Je voudrais effacer la bande du répondeur! Je laisse quand même un message avant de dormir. La sonnerie déchire le silence, troue la nuit. Je ne sais pas l'heure qu'il est. C'est Kim. Elle me demande si je veux toujours aller au Mexique...

Elle a réellement de la suite dans les idées, ne parle de rien d'autre avant, démarre sur le Mexique comme si c'était bien entendu la suite logique d'une conversation interrompue il y a dix minutes, s'étonnerait si j'étais le moins du monde surpris. Ensuqué comme je suis, je réponds que bien sûr, j'ai toujours cette virée dans la tête, ne pensais pas qu'elle me prendrait au mot! Elle réplique qu'elle passera me chercher vers neuf heures, que c'est loin, qu'il vaut mieux partir tôt, qu'on évitera la grosse chaleur, qu'en attaquant la route le matin on sera sur place en fin d'après-midi, que je lui fasse confiance, que ça va être génial, que je vais adorer! Je ne vois pas comment je pourrais, face à un tel amoncellement de superlatifs, me permettre de douter le moindrement de ce qu'elle affirme! De toute façon, avant que je puisse réagir, elle raccroche.

Neuf

La route longe l'océan. Ennui mortel. Certitude d'être toujours à la même place, de ne pas bouger. Le soleil cogne. Arrêt dans un bar-épicerie-drugstore-poste d'essence pour routiers, un *truck stop*, juste après San Diego. Amérique classique, tables où s'alignent distributeurs de serviettes en papier, plastique des bouteilles de ketchup, flacons de moutarde sûrement pas de Dijon. Fauteuils, tabourets, banquettes en skaï rouge. Serveuse entre trois âges... Agrafée sur sa poitrine, une plaque avec son prénom. Rachel, dit la plaque. Kim semble heureuse de s'être éloignée de Los Angeles. Je ne le suis pas moins, profite de chaque instant, la détaille, la trouve radieuse. Elle a troqué son jean contre un short militaire, ses ballerines contre des tennis sans lacets. Toujours un tee shirt blanc à même la peau... vision troublante. Elle sourit en voyant mes yeux... impression de la connaître depuis longtemps... des années. Arrachées les déprimes, disparue la douleur. Je suis bien. On se marre comme des gosses en détaillant les attitudes de ceux qui nous entourent. Un couple suce des glaces... même profil, même allure, même gestes synchronisés pour lécher la crème, mordre le cornet. Écroulée de rire, Kim proclame qu'il est certain que ces deux-là finiront par faire fortune dans le porno... Quand Rachel revient prendre la commande, sans regarder la carte on se décide pour deux *club sandwiches*, deux verres de lait. Retour en enfance. Madeleines de Proust. Le goût du lait sur les Corn Flakes, la première fois que j'ai mangé des flocons de maïs en arrivant aux États-Unis. La sensation que c'était dans une autre vie. On se colle de la mayonnaise partout. Je lui essuie la bouche comme si je l'avais toujours fait.

Premier geste tendre, naturel comme ce qui se passe. Je me perds dans ses yeux. Elle ne baisse pas les siens. La serveuse nous jette un regard envieux... peut-être aimerait-elle que ça lui arrive... allez savoir!... Ne pas changer de film.

Poste frontière de Tijuana, dernier rempart entre les deux Amériques. Images d'un reportage sur ces Mexicains versant des fortunes à certains passeurs qui jurent de l'efficacité de leurs combines avant de les presque livrer à la police. Camions arrêtés en pleine nuit, véhicules d'où sortent des cohortes de visages apeurés, mal rasés, espoirs qui s'effondrent, encore une fois, parce que beaucoup récidivent. Un certain nombre arrivent à passer sans encombre, mais combien sont reconduits à la frontière, retournent à leur cauchemar quotidien, leur immense envie d'en sortir?

Souvenirs, encore, d'un film d'Oliver Stone, à la fin duquel la police arrêtait un bus pour en extraire une Salvadorienne qui rêvait pour son enfant de cette liberté dont elle lui avait tant parlé...

Les rues de Tijuana. Amoncellement de carcasses rouillées, voitures, camions d'un autre temps, garages où refaire à neuf votre épave ne coûte rien, bouteilles de mescal dans les vitrines sur des mètres, des dizaines de mètres, alignées à côté des boîtes de havanes interdits aux États-Unis pour cause d'embargo. On ne s'arrête pas.

À la sortie de la ville, la piste plonge vers l'océan... le paysage change, donne le sentiment de dériver de la montagne à la mer sur une petite bande de désert. Kim veut qu'on dorme à *La Fonda*. Je lui demande ce que c'est. Elle répond à sa façon, par le silence. Je redemande. Elle me fait conprendre que je verrai quand on y sera. Je vois. Hôtel au bord de la falaise, terrasses au-dessus des vagues, chambres immenses... Impossibilité de réserver: pas de téléphone! Les margaritas sont raides, les langoustes énormes, le prix n'est pas en rapport, surtout avec des dollars...

Je réalise être déjà venu, il y a des années, avec deux amis français. Couple étrange. Elle était capable de partir de Los Angeles en stop pour faire du surf au Mexique, les vagues de Malibu n'étaient pas assez belles pour elle, la faune de Hollywood trop puante... mieux valait l'exil, quitte à se noyer ou à se faire bouffer par quelque requin joueur. J'ai toujours pensé qu'elle avait raison. Elle a fini par quitter définitivement l'ambiance californienne, s'est acheté une petite maison à Santa Fe, Nouveau-Mexique. Ils s'étaient bien trouvés, puisque son plaisir à lui, c'était de courir le «Baja 1000», une balade en quatre-quatre à travers toute la Basse-Californie, de Tijuana à Cabo San Lucas, la ville la plus au sud de la langue de terre qu'on remarque sur toutes les cartes comme faisant un diverticule le long du territoire mexicain. Il participait à la course presque tous les ans, l'avait peut-être déjà gagnée.

Le désert de l'Utah dans ma mémoire. J'aimerais emmener Kim se perdre quelque part entre Monument Valley, Montezuma Creek, Mexican Hat, là où les images réelles rejoignent les morceaux mélangés du puzzle qu'on avait dans la tête quand on rêvait d'horizons infinis entrecoupés de pans de montagnes infranchissables. Je voudrais qu'elle partage ces traversées solitaires que je faisais chaque fois que me prenait l'envie de me perdre à jamais très loin au large d'Albuquerque.

Il est des photos qu'on ne refera jamais parce que plus l'instant, plus l'endroit, même si l'emplacement ne semble pas avoir été déplacé. Tout dépend de l'état, de qui vous accompagne, des vibrations, de l'air, de la lumière... Le lieu n'aura pas changé, ce sera vous!

Plus l'émotion, celle qui donnait les ailes, le désir, les inspirations exceptionnelles, inattendues... J'aimerais refaire des images avec Kim. Peut-être que d'une autre émotion naîtraient d'autres visions!

Je suis adossé au balcon de la chambre. Elle est devant moi, j'ai les bras autour de son cou, ne veux pas bouger, rien casser de la fragilité de l'instant. Sa peau est chaude sous mes doigts. Je l'embrasse sans réfléchir, parce que c'était écrit, parce qu'était dit que j'en viendrais à l'embrasser, un jour...

Douceur extrême de ce baiser qui dure. Je suis en train de m'enliser, m'abîme... Étrange. Sa peau me réconforte, l'amour me rassure, dans chacun de ses gestes, chaque soupir qu'elle laisse échapper, chaque caresse qu'elle donne, moindre mouvement qui nous lie, je me sens bien. La nuit passe sans nous. Quand on n'a plus peur, toutes les nuits peuvent filer sans nous. Pourtant, j'ai toujours eu peur, des ténèbres, de ne pas me réveiller, de moi... Ce soir je me sens à l'abri.

Quand je serai vieux, si un jour le suis, ce moment fera partie des instants qui n'auront jamais quitté ma tête, pour peu que cerveau me reste. Des minutes, des phrases, des sourires, des regards parfois jamais ne s'estompent, demeurent inscrits, éternels, comme pour montrer la direction de l'espoir les jours où le cœur aurait tendance à voler bas, la grisaille à prendre le pas sur le soleil. Le bonheur ne tient à rien, ou alors à si peu. Quand on arrête de cogiter, d'avoir des idées noires, quand on balaie de ses méninges désespérances, défaites, le bonheur n'est plus interdit de séjour, même pour un tout petit quart d'heure... Eu droit à beaucoup de satisfactions depuis hier... que rien ne se fige d'un coup, *please!*

Rester de longs moments à la regarder, ne rien dire, la suivre des yeux quand elle se déplace, que l'air autour d'elle ne vibre plus vraiment de la même façon. Ses gestes sont beaux, ses paroles me portent, ses silences me détruisent... Ne pense pas! Ne pense surtout pas!

J'ai un certain don pour tout foutre en l'air quand tout va bien, toujours tendance à imaginer la fin quand ce n'est que le début. Je profite mal du temps présent, projette toujours. Pauvre maso! Je ne veux pourtant à aucun prix que ça m'arrive avec Kim. L'instant qu'on vit n'existera plus jamais... débuts d'une histoire d'amour tellement privilégiés. Se découvrir, prononcer des mots qu'on croyait rayés à jamais de son vocabulaire. Heureux partout, même dans un lieu inattendu... l'extérieur disparaît, seul l'autre est là. Je ne voulais rien savoir de la date, du temps qu'il faisait, de ce qui se passait... il n'y avait que Kim. J'y étais, jusqu'au cou!

Quand j'avais rencontré Vanessa, en prenant l'avion de Dakar, j'avais éprouvé des sensations identiques.
Pas au début, mais quand nous nous étions trouvés, touchés, avions visité comme deux ombres l'île de Gorée, déchiffré les inscriptions apposées sur les murs de la maison des esclaves... Le temps, là aussi, avait cessé d'exister en dehors de celui que nous vivions, instant présent après instant présent. Je n'ignorais pas que le retour en France serait agité, que j'avais volontairement mis la main dans un engrenage dont je savais qu'il allait à jamais me broyer, que ma vie ne serait plus jamais la même, parce que déjà je voyais les choses d'un œil différent! J'étais en train de prendre du recul, un certain recul... Je

ne m'imaginais pas entrer dans le cycle infernal, questions, explications, déchirements, culpabilité à l'idée du mal distillé. Je voulais rester là, avec elle, continuer à dessiner sur le sable des cartes du monde où je marquerais du bout du doigt les prochaines étapes, ces noms de villes ou de pays qui nous espéraient, lieux perdus où personne n'irait chercher la moindre trace de nos existences!

Dakar était en face de Rio, alors pourquoi pas le Brésil, les verts dédales de l'Amazonie, les ruelles d'une Manaus qui m'était toujours inconnue? Souvent j'avais rêvé des Amériques, du Sud, centrale, écrit dans ma tête des noms qui sonnaient comme des ailleurs, refuges attirants où les couleurs, les sons, les odeurs se fondraient pour que viennent enfin se dessiner des avenirs différents de mes présents insipides.

Tout défilait très vite dans ma tête. Je ne pensais ni aux photos que j'aurais dû faire, ni à celle qui devait m'attendre, j'étais en équilibre entre deux mondes... l'un des deux pouvant sembler le bon!

Retour atroce, ma femme à l'aéroport. J'étais sorti le premier. Vanessa avait attendu que tous les autres soient dehors pour détacher sa ceinture, franchir la passerelle. Sentiment d'arrachement absolu, vide abyssal... Je ne m'étais pas retourné, elle n'avait rien fait pour me rattraper, m'avait rejoint le lendemain à Nice, heureuse de repartir aussitôt pour les États-Unis via Paris.

Huit jours plus tard, grand déballage, je racontais toute l'histoire, parce qu'à certains moments l'intensité du manque est trop intense pour qu'on puisse jamais faire marche arrière, qu'il n'y a pas d'autre recours que de foncer droit devant, quelle que soit l'incertitude du devenir.

Jamais très simple comme situation: regarder quelqu'un en face, annoncer le plus délicatement possible la rencontre d'une autre, signifier qu'on partira pour ne plus jamais revenir...

Vanessa avait trouvé la même force quand elle avait rencontré Étienne. Elle aussi avait parlé, d'une voix triste, de l'eau dans les yeux. J'étais resté statufié, ne reconnaissais plus rien, autour de moi le monde était altéré. Impression affreuse! Quatre ans après notre rencontre... la vie imprévisible, jeu permanent, je te donne du beau, mais surtout ne t'habitue pas, je te prépare le pire, l'horreur, tu ne vas quand même pas croire que je suis là pour que tu sois heureux?...

Prendre des coups par surprise, te faire compter huit par l'arbitre, l'entendre annoncer dix au moment précis où tu commençais à te relever.

Kim a loué une maison de poupée dominant la plage. L'eau est beaucoup plus chaude qu'à Santa Monica ou Malibu, quatre heures plus au nord.

Habitation en bois, immense terrasse perchée au-dessus de la mer, deux grandes pièces meublées simplement, chambre blanche inondée de lumière dès le petit jour. Autour, quelques pavillons ocre du même style, la plage sur des kilomètres. Le Pacifique, d'habitude assez remuant, est ici très calme. Premier bain depuis longtemps. Elle me confie être toujours venue seule... la première fois qu'elle déroge à la coutume. Quand elle s'installe à Ensenada, elle n'a généralement que l'idée de s'isoler du monde, d'être présente pour peindre, écrire, dormir... ne se dit jamais qu'on pourrait l'accompagner, sait qu'on ne partage les endroits privilégiés qu'avec quelqu'un qu'on estime digne d'apprécier... je me sens flatté, ai le même sentiment!

Pendant des années, j'ai eu l'impression de perdre mon temps chaque fois que je ne faisais rien qui ne soit en prise directe sur mon travail. En ce moment, je m'en fous, je ne réfléchis pas... je vis!

Remontée de la plage en fin d'après-midi.

Kim a la peau qui fonce à vue d'œil. Elle sent bon. Les parfums, les odeurs, capables du meilleur comme du pire. Une histoire d'amour peut se désenchanter parce qu'une odeur surprend. C'est comme les actes de l'autre. Quand par hasard ils vous énervent, l'amour est en sursis. Pas le cas aujourd'hui, exactement le contraire.

La voiture pour se rendre au marché. La ville est différente de Tijuana. Quelques rues se croisent à angle droit, petit port, une halle minuscule ouverte à tous les vents, pinasses, chalutiers amarrés non loin. Elle a dû souvent venir se perdre ici, connaît tout le monde.

Beaucoup la reconnaissent, lui sourient, proposent des poissons aux allures engageantes. Elle sait ce qu'elle achète, déclare qu'elle fera l'espadon au barbecue.

Promenade main dans la main jusqu'au bout de la digue.

Heureusement, j'ai pris le Leica, fais quelques photos, d'elle, des nuées de gosses qui nous entourent pour essayer de nous vendre bonbons, *chewing gum*. Elle se laisse tenter, distribue quelques dollars, m'entraîne dans un petit bar posé au bord de l'eau, juste à côté du port. Musique Mariachi, chips tortillas à tremper dans un pot de guacamole, cuba libre pour elle, margarita pour moi. Le soleil se couche. Un phoque, visiblement égaré, nage d'un bateau à l'autre. Apparitions de ses moustaches, de son pelage luisant. Fous rires, la nuit s'installe, nous rentrons. Elle ne veut pas que je l'aide, prépare le poisson, concocte une sauce spéciale qu'elle sert avec le riz. Délice! Le vin qu'on boit nous grise un peu. Soirée chaude, vent doux. Qui a dit que le temps ne s'arrêtait jamais?

Les yeux de Kim quand elle fait l'amour… la regarder qui m'aime. Elle a l'air bien… Pas vivre d'autres histoires.

Dix

— Tu ne peux pas ne pas y être! Ça y est, je deviens folle, je parle toute seule!

Vanessa a les yeux rivés au téléviseur. Les images de la guerre du Golfe arrivent en vrac. Elle détaille chaque plan, cherche à voir si elle reconnaît quelqu'un parmi les nombreux journalistes que montrent les caméras. Elle scrute, fouille, mais rien ne se passe, rien qui pourrait lui faire supposer que Reine est dans les parrages. De toute façon, plus elle y pense plus elle sait qu'elle fait erreur, qu'il n'y a pas une chance sur un million pour qu'il ait décidé de partir là-bas sans prévenir.

L'appartement est devenu une prison, un drôle d'endroit pour plus de rencontres, un refuge déserté. Elle ne se sent plus chez elle, a vraiment le sentiment qu'elle n'est que de passage, que cette place de rêve est devenue un lieu de cauchemar.

— Pourquoi tu ne m'appelles pas?

Elle hurle:

— Pourquoi?... Qu'est-ce que j'ai fait pour que tu me traites comme si je n'existais pas, comme si tout ce temps passé ne méritait rien de plus que l'indifférence?

Elle continue à soliloquer tout en empilant au hasard des affaires dans une petite malle en osier.

— Bon... je me calme, je me calme, ça ne va rien changer de devenir hystérique. Il faut simplement que je me fasse à l'idée. Il ne veut plus de moi, de mes questions, de ma tête, de mes satanés articles. Il ne veut plus! C'est aussi peu compliqué que deux plus deux égalent quatre. Si simple qu'on ne veut jamais y penser. N'est-ce pas, ma fille?

Elle pose la question au miroir. Le miroir souhaite se taire.

— J'en ai assez de prendre ces cochonneries. Je dormais avant, je dormais!

Elle fixe toujours le miroir, comme si c'était de là qu'allait venir la lumière, ou la solution. Elle garde quand même deux boîtes de somnifères qui vont rejoindre les quelques vêtements qu'elle a rapidement jetés dans la malle.

— Une semaine. Je me donne une semaine à Nice pour aller mieux avant de retrouver ces bêtises de films à chroniquer. Ma sœur, ma sœur, je suis contente de venir te voir. Toi, tu vas me faire du bien. Toi, je te croirai. Si jamais tu me certifies qu'il m'aime encore, qu'il va me téléphoner, revenir, je te croirai. Parce que, toi, tu ne m'as jamais raconté des histoires. Jamais.

Elle regarde ses larmes couler de ses yeux rougis par la tristesse, les nuits passées à ne pas pouvoir dormir, les mauvais rêves, l'attente d'un signe, bon ou mauvais, mais un signe, un appel, quelque chose. Quand on a vécu longtemps avec quelqu'un auquel on contait presque tout, quelqu'un qui de son côté semblait faire de même, il est absolument impensable de se retrouver comme coupé du monde.

Elle a tellement eu le sentiment d'échanger, de partager, de faire chemin commun, qu'elle se retrouve au cœur d'une situation qu'elle n'a jamais connue, dont elle ne savait même pas qu'elle eut pu exister…

Ses pleurs avaient cessé. Elle prit un taxi pour Orly. Dans l'avion, elle se sentit mieux. Elle était heureuse à l'idée de revoir Florence.

Florence savait les mots, les lui dit. Vanessa se reposa, mangeant ce qu'elle aimait, ces petites aubergines farcies qu'on ne trouve qu'en Provence, reprit des couleurs, changea. De moral, d'aspect.

Elle était devenue presque fataliste, par cycles. Quelquefois, au milieu de la journée, suite à un mot entendu, un visage entrevu, elle replongeait dans son spleen.

De nouveau, sa sœur l'aidait.

Une semaine plus tard, elle retourna à Paris.

Après beaucoup d'hésitations, elle se décida à joindre Michaël. Quand on le lui avait présenté, il préparait un film, lui avait plu tout de suite. Elle ne le quittait pas des yeux, imbattable à ce jeu, l'avait subjugué, ferait de lui ce qu'elle voudrait si jamais l'envie lui venait. Ils avaient parlé, longtemps, chacun cherchant à prendre la mesure de l'autre, toutes défenses sorties, laissant quand même ouvertes quelques brèches où s'engouffreraient les mots choisis qu'ils laisseraient échapper, sachant à l'avance que les sous-entendus toucheraient bien sûr leurs cibles, que la passion ne ferait d'eux qu'une bouchée quand quelqu'un aurait décidé d'abaisser le levier!

Ils avaient projeté de se revoir, autrement. Vanessa l'avait prévenu, elle aimait Reine, leur relation serait peut-être agréable mais sans suite. Deux ans plus tard, sur une décision mûrement réfléchie, après une fin de journée passée au lit, elle lui avait annoncé qu'elle arrêtait, que sa vie à venir était auprès de Reine, que pour eux deux, aussi triste que ce fût, c'était terminé...

Michaël n'était pas là. Il tournait son film, quelque part en Europe. En désespoir de cause, elle appela ses parents, pensant qu'ils pourraient peut-être lui dire où était leur fils. Ils lui avaient donné un numéro, précédé d'un indicatif inconnu d'elle.

Ils lui avaient précisé que souvent la communication ne passait pas. Elle essaya des heures, des heures, certaine qu'elle était sortie de sa tête, finit par lui parler tard dans la nuit. Il lui remémora avoir depuis longtemps prévu ce qui se passait, confia qu'il pensait souvent à elle. Quand ils avaient raccroché, elle s'était sentie mieux, comme si, providentielle, une bouée avait été lancée d'un bateau, pour ne pas qu'elle ait mal, dérive, se noie...

Maintenant, elle se demandait si elle avait eu raison ou pas, regrettait presque son acte, n'ignorait pas que, si Reine rentrait, elle se verrait dans l'obligation de rompre à nouveau pour tenter quelque chose de différent avec lui...

Elle préféra n'en parler à personne.

Tout le monde l'aurait traitée de demeurée!

Elle n'était pas disposée à assumer. Pas pour l'instant.

Onze

Trois jours d'éternité. Cette maison qui nous ressemble est en train de se remplir de nore présence, doucement. Trois jours qu'on se découvre, qu'on s'aime, qu'on se raconte, nous, les autres. Quand elle les cite, les autres, je suis jaloux, jaloux de tous ceux dont elle parle... Pourtant, si j'en crois ce qu'elle affirme, ils ne sont pas nombreux, ont donc dû d'autant plus compter pour elle, puisqu'elle ressent le besoin de les décrire, de les faire revivre pour moi. Je ne le lui montre pas, mais elle me démolit.

Elle veut à tout prix savoir qui je fuyais quand elle m'a rencontré, de qui j'avais peur au point de prendre le large sans me retourner. Je lui explique, ne lui épargne que peu de détails de ma vie affective. Elle commence à me cerner un peu mieux, pose des questions sur Vanessa, sur d'autres phases de ma vie. Là encore je dévoile, parce qu'à un moment donné se laisser aller fait du bien, nulle envie de me taire encore, trop traversé de déserts de tendresse pour ne pas avoir envie d'être bien.

Elle m'écoute, attentive. Son visage s'éclaire par instants, petites lueurs qui s'éteignent aussitôt pour faire place à l'intérêt qu'elle porte à mes paroles. Descente dans les limbes d'une mémoire qui ne me fait pas défaut. Je la sens prête à me suivre, en silence loin, très loin, au delà de moi, au delà de toutes ces interrogations auxquelles personne n'est susceptible de répondre. Kim respire l'intelligence. Pas de phrases pour ne rien dire, jamais d'argument qui défaille, d'hésitations, ou très peu. Nous sommes deux exilés, unis par des liens ténus, enlacés, emmêlés dans une aventure que nous dessinons par hasard, jour après jour. Nous bavardons des heures. Quand on décide d'aller dormir, petit matin...

J'ai toujours détesté voir le jour se lever. Pour moi, cette seconde coïncide avec la fin du rêve, instant précaire où l'impalpable qui sépare de la réalité s'estompe, se perd. Je pense à tous ceux qui partent travailler quand je suis sur le point de me coucher... les imaginer me désole. Quelle chance de pouvoir faire de ma vie un parcours dont je suis le seul à décider du chemin qu'il prendra!

Cette fois, c'est différent. Elle est tout contre moi, posée contre mon corps, mon être, ma peau qui reste tiède grâce à elle... Le soleil peut se montrer, je ne bougerai pas un cil pour changer le cours du temps. Je n'ai jamais aimé me lever tôt, sauf pour ce qui me passionnait. Certains soutiennent que ce serait le meilleur de la journée... je leur abandonne ce choix, sans regrets, quoique les lumières de point du jour soient chargées de teintes introuvables équivalentes à celles de presque soir. Il n'en demeure pas moins que je commence vraiment à exister l'après-midi. Kim est mon opposée, adore se lever à l'aube, court sur la plage, me laisse dormir...

Elle revient vers midi, en forme, fière de ces kilomètres courus, nagés, la tête pleine des pages qu'elle a lues parmi la pile conséquente de bouquins qu'elle traîne partout avec elle.

Je la regarde faire, d'un œil... elle presse des oranges, met du thé dans une tasse, s'agite. Faire semblant de dormir, même si plus sommeil, pour le plaisir simple d'être réveillé par elle!...

Saut en arrière... classe de seconde au lycée de Fougères.

Je rentre de New York, habite chez mon père. Le car démarre à sept heures pour se rendre du village où je suis jusqu'au lycée. La distance est de quinze kilomètres. Mon père, tous les jours, me secoue à six heures. Il me force à avaler, avant de sortir, une bouillie particulièrement écœurante, du porridge. Chaque matin, dès que je me lève, j'ai la gerbe en pensant à ce qui m'attend dans la cuisine... Je sors d'un an de Corn Flakes, il me gave de porridge! Jamais pu en remanger depuis, ne serait-ce qu'une cuillerée! Les souvenirs d'enfance, aide-mémoire pour toute la vie. Un de mes frères, exemple, déteste la ratatouille niçoise. Ça lui vient de loin. Il avait été tellement malade quand on l'avait forcé à en ingurgiter qu'aujourd'hui rien que le mot le fait sursauter! Même dégoût en ce qui concerne les raviolis. Si vous croisez mon père, soyez gentils, ne lui parlez surtout pas des tomates... c'est à peu près la même punition que le porridge pour moi!

Je passe du coq à l'âne... photographe, pourquoi? Peut-être pour ne pas imiter les autres, ceux qui se lèvent trop tôt, toujours ce soin constant de cultiver la différence, l'originalité. On demande parfois à des célébrités, sous prétexte de les connaître mieux, si elles ont dans leur adolescence eu quelque idole qui aurait fait qu'elles soient devenues ce qu'elles sont. J'admirais un photographe d'agence. Il s'appelait Gilles Caron, travaillait pour Gamma, rapportait du monde des images violentes, terribles, bouleversantes, drôles parfois...

Un de ses clichés les plus surprenants montrait, en mai 68, Daniel Cohn Bendit narguant un C.R.S. devant la Sorbonne. Même reportage, quelques heures plus tard, l'image étonnante d'un autre flic levant en pleine nuit, le long d'une palissade, une matraque d'un mètre cinquante sur un étudiant en train de se casser la figure dans un caniveau. Force épouvantable des photos de ces gosses, au Biafra, assis par terre à côté du Nikon de Caron, pour qu'on mesure leur dénutrition, leur manque de tout, leur désolante réduction à l'état de petits squelettes. Gilles Caron, disparu au Cambodge en 1970 avec le fils d'Errol Flynn. On n'avait plus jamais eu de leurs nouvelles. Il s'agissait pourtant ce jour-là de traverser une route qui s'enfonçait en territoire khmer, une route toute bête... Certains leur avaient recommandé de ne pas le faire, ils avaient quand même essayé. Mon envie d'être photographe d'agence date de cette époque, relation directe avec le courage, l'inconscience, la volonté de rendre compte de ces convaincus! Comment passe-t-on de cette envie folle de témoigner, d'être là où ça se passe quand ça se passe, à l'état mental dans lequel je peux être aujourd'hui? Arrive un moment où l'horreur devient totalement insupportable, à tel point qu'on se demande parfois si ce ne serait pas la présence des médias qui aurait favorisé certains débordements. On doit pourtant à ces mêmes médias d'avoir attiré l'attention des peuples sur telle ou telle ignominie... le fil est mince, si mince... faire prendre conscience, assister sans intervenir, être voyeur, montrer pour sauver...

La photo, l'image, le *scoop* à tout prix, ou la retenue qui semblerait si proche de l'indifférence? Personne n'aura jamais de réponse.

Je ne serai jamais plus capable de faire des photos semblables. Quelles que puissent être ma révolte, ma déchirure, je me tiendrai à l'écart des folies de ce monde... La force n'est plus avec moi.

C'est moche de dire ça, parce que constat d'échec, mais être enfin sincère, pouvoir se dire qu'on ne ment plus... peut-être que c'est mieux. Envie de faire des photos de Kim quand elle dort, qu'un rayon de lune ou de soleil l'éclaire, d'emprisonner sur pellicule la fraction de seconde où son visage s'anime, qu'elle rêve, qui peut savoir à quoi, qui peut me dire à qui? Capturer dans ses yeux la lueur fugitive qui passera son chemin avant d'être vraiment...

Douze

ENSENADA: EXTÉRIEUR JOUR

— Est-ce que tu renoncerais à ce que tu aimes le plus pour moi?... Ne réfléchis pas, vas-y, réponds!... J'attends!

Je suis affalé au soleil, ambiance éléphant de mer, quand Kim me pose la question. Elle me dévisage, sans sourire, un peu inquiète, comme si toute sa vie dépendait de ma réponse. Penser à toute vitesse, mesurer l'étendue du piège, les conséquences éventuelles, les représailles possibles. Situation imprévue dans laquelle je m'empêtre en une seconde. Elle aussi a dû se souvenir de *Pandora*, se prendre pour Ava Gardner, confondre Ensenada avec cette haute falaise au sommet de laquelle luit le bleu-gris métallique d'une sublime voiture de course. Je n'ai pourtant pas l'allure de l'amoureux transi à qui s'adresse l'héroïne du film. Je n'ai pas non plus de véhicule à sacrifier... où veut-elle en venir? Que puis-je répondre à Kim? En venant ici, j'avais déjà décidé de renoncer à un certain nombre de choses, dont une carrière, un avenir à peu près tracé, des amours bancales, incertaines, pesantes. Je demeure silencieux, prends l'air de celui qui a sûrement mal compris.

— Tu ne réponds pas?... C'est étrange... toi qui te prétends si heureux, qui jetterais à la face du monde tous les mots d'amour que tu gardes en réserve simplement pour insister sur le fait acquis que je te suis indispensable, tu ne réponds rien... tu as le sentiment que je ne vaux pas la peine qu'on laisse de côté quelque chose pour moi!... Joli, parfait... tu pourrais dire n'importe quoi, ce n'est que la valeur symbolique qui m'intéresse... Je suis vraiment déçue!

Devant son air énervé, je lui sors:

— Kim, la chose, plutôt la personne que j'aime le plus, c'est toi! Tu veux que je renonce à toi? C'est impossible, sauf si tu continues à être paranoïaque, à essayer de te faire du mal à coup de petites phrases sournoises! C'est justement ce genre de discours que je commençais à ne plus supporter quand je suis parti, alors si tu trouves intelligent d'abonder dans ce sens, ne te gêne surtout pas, la voie est libre, mais je vais essayer de ne pas t'écouter parce que tout détériorer entre nous, c'est définitivement la dernière chose dont j'ai envie! Voilà! À part ça, je t'aime!

Mon discours n'a pas l'air de beaucoup la convaincre, c'est le moins que je puisse dire. Elle entre dans la maison, claque la porte à toute volée. Le silence retombe. Je reste sur la terrasse.

Un long moment s'écoule. Je décide de tirer un trait sur mon orgueil, de la prendre dans mes bras, de lui expliquer que je l'aime d'une façon plus concrète. La maison est vide. Elle a pris toutes ses affaires, la voiture a disparu. Elle a descendu la pente sans allumer le moteur. Je n'ai rien entendu. Sur le lit, une feuille, juste quelques mots: «Quand tu auras une vague idée sur une réponse éventuellement moins nulle que celle que tu as faite, tu me la donneras, si tu me retrouves! Amuse-toi bien! Kim.»

Si c'est une plaisanterie, j'avoue que j'ai déjà vu plus drôle!

Je décide d'attendre ici le temps qu'il faudra. Connaissant par cœur les coups de tête, j'aurais dû m'en méfier chez les autres. Commence la litanie des remords, de la culpabilité, des regrets, la kyrielle de mes mauvaises habitudes... Je me remets à penser à Vanessa.

Elle m'avait un jour posé une question similaire, une question qui elle aussi prenait en considération la notion de choix, de balance entre deux existences. Sans hésiter, j'avais, cette fois-là, répondu que j'étais tout à fait prêt à partir de chez moi, que ma vie affective ne m'intéresserait que si elle devait en faire partie, que j'abandonnerais femme, maison, par amour pour elle. J'étais jeune, pensais moins. Vanessa en avait eu confirmation deux jours plus tard, quand j'étais allé la rejoindre.

Commençait de ce fait une ère nouvelle, avec quelques problèmes à venir liés à un divorce qui ne manquerait pas d'être prononcé à mes torts. C'était comme ça… je n'avais pas eu, à l'époque, la moindre arrière-pensée, le moindre regret. La solution était simple: je n'aimais plus ma femme, j'aimais Vanessa, profondément. Le choix n'en était que plus facile, il n'était nulle part question de partage, de division, d'écartèlement entre deux bonheurs. Qu'en était-il aujourd'hui? *A priori*, tout semblait aussi évident. La seule différence, j'aimais toujours Vanessa, à ma manière, même si nos relations avaient connu d'étranges variances. J'avais Vanessa dans la tête mais j'étais perdu sans Kim, me cognais aux murs de cette maison où tout ce qui était elle vibrait encore… Au bout de deux jours sans nouvelles, empilage de fringues dans un sac, bus jusqu'à Tijuana, autre bus pour remonter à Los Angeles.

Will m'attendait au terminus, je l'avais appelé de la frontière. Il portait sur le visage les marques de nuits passées en studio mais semblait heureux de me voir, avait l'air amusé, ne me posa aucune question. Je n'étais pas d'humeur, il le voyait clairement. Je lui ai tout raconté, le soir, pendant qu'on dînait chez un pote à lui. Il me connaissait assez pour savoir que cette histoire à épisodes me foutait par terre, fit tout pour me convaincre qu'elle avait juste voulu voir jusqu'où elle pouvait aller, qu'à cette heure-ci elle devait déjà s'en mordre les doigts, que la situation était hautement débile tant on avait l'air bien ensemble… Je lui ai annoncé que si je n'avais pas de nouvelles avant la fin de la semaine, à savoir quatre jours plus tard, je rentrais à Paris.

Il ne m'avait pas répondu, m'avait resservi du saké.

Treize

— Tu souhaites mon départ? Tu veux que je déménage? Parfait, je vais le faire dès que j'aurai trouvé un appartement. Tu t'en moques, toi, où que tu sois, tu t'en moques. Tu n'as jamais eu à chercher. On t'aidait, on te facilitait la tâche. Tu prétendais ne pas avoir le temps... alors, les autres cherchaient à ta place. Mais moi, moi qui ne suis que Vanessa, journaliste dans un mensuel de cinéma, moi qui n'ai bien sûr que ça à faire, je visite, je visite. Remarque, plus j'en vois, plus je me rends compte de mes privilèges, de ma chance. Habiter comme tu le fais en plein Quartier latin, ce n'est pas donné à tout le monde. L'argent, l'argent mon cher. Mais toi, encore une fois, tu ne sais pas ce que c'est l'argent. Tu en gagnes avec tes photos de la misère du monde. On te paye cher pour quelques secondes d'inconscience, quelques risques mineurs. Qu'est-ce que je dis? Non, Reine, je retire, je retire. C'est ton absence qui me fait délirer. Je me sens tellement bête avec mes petites annonces. Les têtes, toujours les mêmes, des types des agences qui voudraient que tu confondes le château de Versailles avec un placard à balais. J'ai honte d'avoir pu penser une seule seconde que tu gagnais de l'argent en ne faisant rien, en ne risquant rien... J'ai eu assez peur pendant toutes ces années pour savoir que tu risquais quelque chose. Je vais arrêter ces visites débiles au moins pendant quelques jours. Peut-être que Sam pourra me prêter les deux grandes pièces qu'il a fait réaménager au-dessus de son garage. Après tout, on ne sait jamais. Si je n'arrête pas de penser tout haut en imaginant que tu m'entends, on va finir par m'enfermer. Reine... Reine, dis-moi seulement que tu n'es pas mort, que même si tu ne m'aimes plus tu es toujours vivant, parce que si ce n'était pas le cas, je ne sais pas ce qui pourrait arriver. Je n'ose même pas l'envisager.

L'ami Sam avait répondu oui. Vanessa espérait que la situation ne serait que passagère. Elle n'avait emporté avec elle que le strict nécessaire. Elle avait laissé tout le reste chez Reine, au cas où.

Il lui manquait souvent, elle y pensait constamment.

Elle doutait de tout, de sa beauté, de son talent, de son pouvoir de séduction. Elle allait même jusqu'à se demander ce qui pouvait avoir attiré Reine, parce que des filles comme elle, ça courait les rues. Sam avait beau lui remonter le moral, elle se laissait souvent aller. Il la consolait, la connaissait depuis tant d'années qu'il pouvait tout entendre, un peu comme sa sœur.

Elle avait laissé son nouveau numéro sur le répondeur de Reine. Un mercredi soir, elle entendit sa voix. Elle semblait venir du bout du monde. Il avait l'air d'aller bien, lui demanda ce qu'elle faisait là. Elle expliqua. Il garda le silence à propos de son départ, d'où il était. Il ne précisa pas non plus s'il allait rentrer un jour. Elle ne lui demanda pas. Il avait appelé, c'était déjà un premier pas, elle ne tenait pas à forcer sa chance, ne se sentait pas l'envie de tirer sur la corde. Elle l'écoutait. Il restait évasif, procédait par ellipses, n'en venait pas au fait. Dans son esprit à elle, le fait était simple: il ne l'aimait plus, point final. Mais il prétendit le contraire, réaffirma un besoin d'être seul, solitude dont il avait souvent parlé, avant. Pas de place, disait-il, pour l'amour dans ce débat important qui le mettait face au miroir lui renvoyant l'ensemble de ses faiblesses, de ses doutes. Vanessa tenait tant à lui qu'elle ne le menaça d'aucun ultimatum. Sa détresse fut momentanément estompée par le coup de fil, par l'espoir qu'elle eut de le revoir malgré le temps qui passait.

Il avait entrouvert une porte qu'elle avait cru refermée à jamais.

Il avait en outre promis de rappeler.

Elle avait répondu qu'elle restait au même endroit, du moins pour l'instant. S'il advenait qu'elle change d'avis, elle le lui ferait savoir.

Cette nuit-là, elle dormit un peu mieux, sans se douter que lui, là-bas, ne dormait plus du tout.

Michaël avait plusieurs fois donné signe de vie. Son tournage allait bientôt prendre fin. Quand il rentrerait à Paris, il serait ravi de la revoir. Quand elle y songeait, elle était contente, sans plus. Que pouvait-elle dire? Michaël lui faisait l'amour d'une façon qui la rendait généralement heureuse, il était pétri de charme, la séduisait infiniment, mais Reine avait autre chose... l'indéfinissable... Il pouvait disparaître, revenir, s'échapper de nouveau, refaire surface, c'était vers lui qu'elle avait envie de courir, auprès de lui qu'elle voulait continuer son parcours.

Cette semaine-là, elle rédigea un article inspiré sur un film qui allait sortir, puis se plongea avec délectation dans l'écriture d'un papier spécial sur Joseph L. Manckiewicz à propos de la nouvelle copie de *All about Eve*, ce chef-d'œuvre qu'elle avait tant aimé. Bette Davis, Ann Baxter, plus un des premiers petits rôles de Marilyn Monroe... tout un programme!

Elle avait lu son horoscope, elle qui ne croyait surtout pas aux oracles. Ils lui avaient prédit une réussite professionnelle conséquente pour les mois à venir. Les astres, en revanche, restaient assez discrets en ce qui concernait le cœur, l'affectif.

Elle s'était dit que tout était interprétable.

Elle décida de ne rien interpréter du tout.

Quatorze

J'ai parlé à Vanessa, n'aurais pas dû, me sens mal.

Kim n'appelle pas. Je le ferais bien, mais mon orgueil ridicule m'en empêche. Je vais avoir l'air de quoi? Elle qui s'en va sur un coup de tête... à moi de ramer derrière? Pas question!

La bêtise me va si bien... Je prends le téléphone, décroche le combiné, le repose, hésite, le reprends, compose le numéro... une semaine qu'elle est partie d'Ensenada. Deuxième sonnerie, une voix d'homme répond. Je raccroche d'un coup. Elle m'a assuré qu'elle vivait seule! Je refais le numéro. Même voix, sauter dans le vide... demander à lui parler. La voix souffle qu'elle n'est pas là, ne va plus tarder. Je suis médusé, ne trouve plus mes mots, balbutie que c'est Reine, que je suis navré de téléphoner si tard, qu'on veuille bien lui faire part de mon appel. Il est minuit dix, Will est comme toujours la gueule dans ses ordinateurs, ses guitares, sa musique.

On se sert deux bières, je commence à lui parler. Il a réponse à tout, dit que je commence à le gonfler avec mes états d'âme systématiquement négatifs... parfois les filles ont des copains, des frères, des cousins, elles ne sont pas toujours des menteuses... se pourrait qu'encore une fois je me fasse des idées! Je n'ai rien à rétorquer.

Je suis tellement rongé par le doute que je le laisse en plan, m'abrutis de cachets pour dormir. Deux heures du matin quand la sonnerie me fracasse, j'ai quelque difficulté à émerger du cirage. La voix de Kim au bout du fil.

— Tu dormais?... Je suis désolée... si tu veux je te rappelle demain, tu seras plus clair...

Je me réveille tout à fait:

— ... C'est bon... ça va aller... j'ai l'impression que je viens de m'endormir, je me sens assez vasouillard... oui, oui, ça va... de toute façon, je préfère t'avoir maintenant... Depuis quelque temps madame prend l'air... profitons de l'instant providentiel que nous accorde ton agenda surchargé... Tu prends même des rendez-vous la nuit? Tu as raison, c'est mieux, on est beaucoup plus tranquille!...

Le silence qui suit est lourd, sa voix inaudible:

— Reine... j'ai honte... Je suis désolée, j'ai été complètement idiote, j'ai réagi en gamine blessée... je n'aime pas perdre la face, je ne voulais pas que tu voies ma tête, j'ai préféré partir! Une minute après je voulais revenir... c'était impossible de faire marche arrière, j'aurais craqué, tu te serais foutu de moi... alors j'ai continué, mais tous les jours, tous les jours je croisais les doigts pour que tu me pardonnes...

J'ai du mal à croire ce que j'entends, ne peux m'empêcher de lui poser la question subsidiaire... qu'elle doit bien sûr attendre:

— Kim, tu peux me dire qui répond au téléphone, quelle bonne âme joue au répondeur moyennant, j'imagine, paiement en nature?... Je croyais, tu m'avais assuré que tu vivais seule... tu sors des jokers de tes manches?... C'est pour lui que tu es rentrée?...

Elle n'hésite pas une seconde:

— Reine, c'est Luc, le fils du meilleur ami de ma mère... On se connaît depuis plus de dix ans, c'est comme mon frère! Tu ne vas pas commencer à imaginer des plans sordides... je n'ai rien à cacher, moi! Je ne planque personne dans les replis de ma mémoire ou les draps de mon lit. Il est à Los Angeles pour suivre des cours à UCLA, je l'abrite le temps qu'il trouve un appart, il n'a pas d'argent pour l'instant... c'est le moins que je puisse faire!

Je joue à celui qui gobe, n'en crois pas un mot. De nouveau le silence. Elle le brise:

— ... Bien sûr, tu me prends pour une enfoirée, tu penses que j'invente, que c'est mon mec!... Vous êtes tous les mêmes, vous faites vraiment chier!... Dès qu'un modèle masculin répond au téléphone à la place d'une fille, ou qu'elle a le culot, l'indécence, le malheur de laisser le jeune homme habiter chez elle, obligatoirement elle se le tape, l'envoyage en l'air faisant de toute évidence partie du contrat au moment de la signature de l'accord, la baise avenant indispensable! Il ne t'est jamais venu à l'esprit, brillant comme tu sembles pouvoir l'être, que je pouvais aussi avoir des copains, pas seulement des amants qui me sautent, pour parler crûment?... Si nos relations doivent se baser sur de telles présomptions, il vaut mieux qu'on ne se voie plus, parce que moi je ne marche pas, je ne suis pas du tout d'accord pour te suivre sur ce terrain glissant!

Elle est subitement très énervée, au bord des larmes, m'ébranle, me fait douter, reprend les cartes en main. De nouveau, elle qui distribue, qui ne supporte pas que je puisse mettre en doute son intégrité, la sincérité de ses propos. Je me risque à ajouter:

— Mets-toi une seconde à ma place! Je t'accompagne au Mexique, je ne me préoccupe que d'une chose: être bien, heureux comme je ne l'ai pas été depuis longtemps. Tu me poses une question insidieuse, je ne réponds pas assez vite ou assez gentiment à ton goût, tu t'en vas comme si je n'avais jamais été là! N'oublie pas un détail, ce n'est pas moi qui suis allé te chercher... je suis beaucoup trop timide pour ça. J'ignorais jusqu'à ton existence avant que tu décides de m'aborder. Alors, quand je te dis que je t'aime, tu peux me croire parce que cet amour ne faisait pas partie des choses que j'avais prévues en quittant la France. Tu peux me croire aussi quand j'ajoute que ce n'est pas très agréable de tomber sur une voix d'homme au téléphone alors que la personne qu'on aime vous a assuré qu'elle vivait seule. Tu peux comprendre ça, Kim, ou il faut que je répète?

J'ai quasiment hurlé la dernière phrase.
Elle me renvoie jouer dans ma cour, m'achève:

— Jamais, dans ta vie, il ne t'est arrivé de ne pas avoir envie de quelqu'un pour une infinité de raisons, bonnes ou mauvaises, des raisons dont de toute façon tu te moquais, seuls les faits comptaient, pas d'attirance, vous vous connaissiez trop, tu voulais te réveiller tout seul, ne voulais pas partager ton intimité? Jamais tu n'es passé par ces intermèdes où tout te semblait sans intérêt, même l'amour, même le cul, jamais? Je suis bien certaine que si. Ne dis pas le contraire, tu me mentirais! Donc, tu peux d'autant mieux comprendre que c'est mon cas, que mes désirs sont sélectifs, très sélectifs! Je pourrais même avoir Luc dans mon lit, rien n'arriverait, je serais toute seule parce qu'il n'y a rien en lui qui m'excite. Il faut que je frissonne, qu'un regard, une voix, des gestes, des attitudes me touchent... sinon le désert, je reste bloc de ciment, ou de glace, comme tu veux! J'ajoute que je ne t'ai pas rappelé pour que tu m'assènes tes petites suspicions mesquines, totalement dépourvues de fondement! Je tiens à te signaler, d'autre part, que si c'est lui mon mec, comme tu sembles tellement le croire, il est là en ce moment. Tu te doutes évidemment qu'il est ravi que je sois partie huit jours à Ensenada avec un inconnu ramassé dans l'avion, enchanté que je me sois éclatée au Mexique avec ledit étranger, on ne peut plus heureux que je me précipite sur le téléphone dès que j'arrive pour rappeler le gringo en question à qui je fais des excuses à deux heures du matin, à qui je clame qu'il me manque, que je suis tarée, que j'ai eu un comportement injustifiable! Tu as la conviction qu'il est heureux, le fiancé en question? Je t'écoute!

Je ne peux plus répliquer, suis obligé d'admettre qu'elle n'a pas tout à fait tort. Pour ne pas donner l'impression que je cède sans avoir un peu résisté, je lui dis que partir d'Ensenada sous un prétexte aussi futile, ce n'est pas tout à son honneur. Elle m'approuve, cette fois plus calme:

— Je sais, j'ai été en dessous de tout. Je n'ai pas la prétention de me croire parfaite. Mais je suis têtue, je déteste revenir sur mes pas. Ça me fait un tort considérable parfois. Tu peux essayer de comprendre, toi aussi, non? J'aimerais pas qu'on en reste à cette conversation surréaliste, je voudrais te voir, maintenant.

Elle est forte, brillante, réussit à retomber sur ses pieds, me fait perdre la boule, peut aligner les phrases qu'elle veut, je suis fichu d'avaler n'importe quoi pour ne pas la perdre, pour ne pas qu'elle s'échappe de ma vie. M'entends lui déclarer que je suis navré, qu'elle aussi elle me manque, qu'on peut se voir quand elle le souhaite. Je me suis effondré! Une baudruche!

Elle conclut en disant qu'elle arrive.

Quarante-cinq minutes avant d'entendre sa voiture dans le *driveway*. Je fonce vers la porte. Encore une nuit qui passera sans nous.

Quinze

C'est elle qui m'a supplié de rentrer à Paris. Je ne l'aurais pas fait, étais parti pour ne pas revenir avant un certain temps, voulais mettre beaucoup d'air entre la France, Vanessa, ma vie d'avant, moi. Elle m'avait piégé. Je me laissais faire.

Quand le vol direct d'Air France s'est posé, personne n'attendait personne... ni elle ni moi n'avions prévenu qui que ce soit. Elle avait un studio dans le XVIe, près de la Maison de la radio, j'y ai posé mon sac pour quelques jours, le temps de voir la tournure des événements. Elle reprenait ses cours le lendemain. Je suis resté presque toute la journée couché avec elle, assommé par le décalage, sans rien faire qu'être bien, comme si j'avais eu le sentiment que dès le jour suivant tout allait changer.

Elle s'était levée tôt, comme à l'ordinaire... seule différence, elle partait aux Beaux-Arts, m'avait confié un double de ses clés pour que je puisse bouger, au cas où l'envie de sortir me prendrait. Elle supposait, ce faisant, que je reviendrais dormir, m'avait annoncé son retour pour quinze heures, précisant qu'après elle serait à mon entière disposition. Je n'avais rien répondu, m'étais retrouvé seul dans son studio, commençais à manquer d'air, me demandais ce que je faisais là quand j'avais un appartement, un endroit à moi… Au lieu d'être dans mes murs, de passer à l'agence, j'attendais une fille dans une cage. Tout devenait terriblement imprécis, je ne savais plus qui j'étais, où aller, quoi faire… La situation frisait le ridicule! J'étais encore plus perdu que quand j'étais parti!

Quand on s'habitue à avoir son espace, ailleurs on étouffe vite.

Je voulais fuir. En même temps, je n'envisageais pas d'être privé d'elle. Ce n'était en tout cas pas comme ça que j'allais la garder, avec tout ce foutoir, là, dans la tête, ma caboche de travers, elle allait vite comprendre…

Elle est rentrée, m'a écouté lui exposer la situation, confesser que j'étais entre deux chaises, entre deux feux, d'un côté les moments importants que je souhaitais couler avec elle, de l'autre les gens, les endroits que je voulais à tout prix éviter… Il fallait que je commence à jongler, n'avais pas envie de croiser Vanessa qui me croyait très loin. Elle, on ne la lui ferait pas… elle saurait dès qu'elle me verrait! Je le sentais tellement que je ne voulais pas que ça arrive. La conversation, plutôt le monologue s'était arrêté. Kim était profondément triste de m'avoir demandé de revenir. Elle n'aurait jamais cru que je puisse être aussi mal à Paris. Elle s'en voulait d'autant plus qu'elle connaissait au moins une des motivations de ma fuite... donc si j'étais déprimé, elle y était pour beaucoup. Elle ne désirait qu'une chose, que je sois bien dans ma tête, dans ma peau, dans ma vie. Il lui paraissait aussi que j'étais heureux en sa présence... Cruel dilemme. Elle m'a conseillé d'aller chez moi, au moins pour savoir si rien d'ennuyeux n'était arrivé, si j'avais du courrier, des messages... Je me suis retrouvé dans la rue, un poids énorme m'interdisait d'avancer, de respirer, de faire le point.

On s'était dit qu'on s'aimait... on se quittait pour la seconde fois.

J'ai pris un taxi jusqu'au boulevard Saint-Germain, suis descendu deux cents mètres avant l'immeuble tellement j'avais besoin de marcher, de m'oxygéner. J'avais le sentiment que ce n'était qu'hier que je partais de chez moi pour attraper cet avion.

Je n'ai croisé personne. Dans la boîte aux lettres, les éternelles factures qui pourrissent la journée... le répondeur affichait quarante-trois messages, de Vanessa, de l'agence, de copains de passage, encore de Vanessa. Inattendue, la voix de Kim:

— Tu es sur la route au moment où je parle dans ta boîte magique. Je hais les répondeurs. Je voulais juste te dire que, grâce à ton manque de charme, ta bêtise, ta nullité crasse, j'ai passé un des pires moments de ma vie depuis que j'ai eu la malchance de te rencontrer dans cet aéronef que je m'en veux encore d'avoir pris! Traduction au cas où tu serais devenu totalement décérébré pendant le trajet... je t'aime à la folie, tu me manques, j'ai envie de te voir, de te montrer que je t'aime. Salut!

Je n'ai pas le souvenir de beaucoup de déclarations qui m'aient autant fait plaisir. Je m'assois par terre, réécoute, ris tout seul... elle a vraiment un don en ce qui concerne les diatribes sur bandes magnétiques! Cette fille est cinglée... je continue à rire. Elle me fait fondre.

Finalement, si je mettais un terme à mes raisonnements faussés, tout irait beaucoup mieux. Tant qu'elle était là, prétendait tenir à moi... J'ai joint Philippe pour lui dire à quel point j'étais désolé pour la guerre du Golfe, que j'avais suivi une partie des événements à la télé, espérais qu'ils avaient réussi à tirer leur épingle du jeu malgré la noria de photographes présents. Il m'a répondu que les photos des agences étaient quasiment les mêmes puisque quadrillage systématique du terrain par le Pentagone, interdiction de se rendre seul en première ligne, une guerre propre, a-t-il souligné, surtout aucune image des pertes, pas de sang à la une!

Il m'a demandé où j'étais. J'ai tout raconté, en commençant par le début.

Je concluais quand Vanessa a fait mon numéro. Il semble que ma stupeur lui a fait comprendre immédiatement un certain nombre d'éléments! C'est en tout cas le sentiment étrange que j'ai eu...

Elle s'était dit que je ne devais certainement pas être là, voulait me signaler qu'elle était toujours au même endroit, au cas où j'aurais eu le besoin ou l'envie de lui parler. J'ai balbutié que je venais de rentrer, que j'étais heureux de l'entendre, qu'elle avait l'air d'aller bien si j'en jugeais par le son de sa voix... Elle n'était pas dupe. Elle n'a rien laissé paraître, mais, quand elle a demandé si je voulais qu'on dîne ensemble, j'ai répondu instinctivement non, pas aujourd'hui, j'ai le décalage dans la tête, je vais essayer de dormir. Jamais je n'avais répondu de la sorte depuis qu'on se connaissait.

Seize

Kim avait repris ses cours, sans vraie envie
mais sans réel désenchantement, ce qu'on s'efforçait
de lui inculquer la satisfaisant à peu près. Elle se
sentait perméable, en état de recevoir cette culture
dispensée par les cours magistraux, abordait des
sujets qu'elle n'aurait pas eu l'idée d'aller chercher
d'elle-même. S'initier à la peinture de Delacroix,
Géricault, Monet ou Renoir n'avait rien d'un pen-
sum, au contraire. Des examens tombaient tous les
quinze jours: elle avait choisi le contrôle continu. Je
la voyais souvent la tête dans les bouquins. Collec-
tionner les bonnes notes était pour elle un jeu, un
défi, une façon de montrer au monde qu'elle avait
beau être belle, elle n'en était pas moins capable de
faire aussi bien sinon mieux que les autres, même si
elle donnait de temps en temps l'impression de
cultiver le je-m'en-foutisme à outrance. Quand elle
essayait d'en venir à mon travail, aux reportages que

j'aurais dû faire, je restais silencieux, terrain miné!...
Je n'avais aucune envie de donner de moi une image
de glandeur, ne voulais pas non plus retomber dans
ce quotidien auquel j'avais tant voulu échapper. Elle
se rendait souvent à mes raisons, mais demeurait
inquiète quant à mon avenir. Elle avait, depuis notre
retour, eu plusieurs fois l'occasion de voir certaines de
mes photos, soit dans les journaux qu'elle achetait,
soit en traînant chez moi, puisque j'avais la manie
sinon le défaut de tout laisser empilé sur des chaises
ou un bureau. Elle savait fort bien qu'on ne change
pas d'existence du jour au lendemain, surtout quand
on a l'occasion ou la chance de vivre bien grâce à un
métier dans lequel on est reconnu. Pourtant, je n'avais
pas la moindre intention de retourner voir la guerre
de près.

Nous avions des vies décousues. Je suis sûr
qu'elle ne se faisait aucune illusion concernant notre
futur... j'avais quelquefois l'air tellement ailleurs.
Autour de nous se défaisaient les couples, peut-être
la vie qui voulait ça. Existait-il quelque part des
amours qui durent, survivent, rebelles à toute disparition? Comment avoir une confiance quelconque en
l'avenir quand autant de gens se déchirent, ne se
comprennent plus, se séparent, se font du mal?...
Nous en parlions de temps en temps. Je sais qu'elle
aurait souhaité une situation claire, une attitude
explicite de ma part. J'en étais incapable. Elle était
persuadée, qui aurait pu prétendre qu'elle avait tort,
que Vanessa n'était toujours pas sortie de ma vie.
Cette évidence la rendait sombre, nos rapports en
étaient quelquefois tendus, mais chacun faisait de
son mieux pour que tout ne finisse pas bêtement...

À la demande insistante de Philippe, j'ai accepté de repartir faire des photos à Bucarest. Ambiance bizarre, comme à mon précédent voyage en Roumanie. Les diplomates de l'ambassade de France m'avaient conseillé fortement de me méfier de tout le monde, les rapports avec l'extérieur étant basés sur la récolte d'informations, monnaie d'échange contre les matières premières indispensables. Quand quelqu'un obtenait un visa pour se rendre à l'étranger, c'était à la condition *sine qua non* de ramener des échantillons en tous genres, capsules diverses dont on analyserait l'alliage, autre élément quel qu'il soit provenant du pays en question... Tout le monde était susceptible de dénoncer tout le monde. Partout des miliciens de la *Securitate*, surtout aux abords du palais présidentiel. Ceaucescu était bien gardé!

On avait rasé tout le centre de Bucarest, maisons de la vieille ville, vestiges d'un passé irremplaçable, pour construire un cube immonde, bunker immense, trois cents mètres de côté, prolongé par une avenue sans fin bordée de façades blanches, immeubles prévus pour abriter les gentils membres de la *nomenklatura* locale... L'État n'avait pas hésité: une armée de bulldozers s'était déplacée pour qu'on soit sûr que le travail soit sans reproche, que plus rien ne subsiste hors les larmes de ceux qui avaient tout perdu.

J'avais photographié le plus discrètement possible, avais appelé Vanessa de l'hôtel, surpris que le téléphone fonctionne, faisais très attention à ne pas commettre de gaffes pendant la conversation, les lignes étaient sur écoute... le but de ma visite n'était pas mentionné! Sur ma demande de visa, j'étais un éventuel investisseur, point final. Parler m'avait fait du bien, elle semblait en forme, heureuse de m'entendre. De l'importance du son de la voix... les idées qu'on peut se faire quand il ne correspond pas à ce qu'on attend... j'ai souvent regretté des coups de fil.

Le dernier soir, invitation à dîner chez un Français responsable d'une banque à Bucarest. Maison spacieuse, meublée avec goût, jardin intérieur éclairé par des lampes dissimulées dans les plantes. On se serait cru aux États-Unis ou dans un pays occidental. Un certain nombre d'invités. La majorité donnaient l'impression d'avoir de l'argent, de profiter largement des privilèges du régime. Personne ne se cachait pour dénoncer le côté inhumain des dirigeants, mais tout le monde buvait la même soupe avec la même cuillère!

Je m'étais mêlé le moins possible à la conversation, qui pouvait savoir qui étaient les convives, oreilles indiscrètes placées là pour me faire dire des vérités qui m'auraient valu une expulsion... Souvent, on a tout intérêt à écouter les autres en se taisant du mieux qu'on peut!

Le repas qu'on nous avait servi était très différent de ce que pouvaient manger les Roumains après des heures de queue devant des boutiques presque vides de toute nourriture, pain, charcuterie grasse, crevettes importées, montagnes de pots de confiture exceptées... Désespoir de ce peuple à qui tout était interdit, même de se chauffer, de s'éclairer, surtout d'être heureux. J'avais mangé sans appétit... dégoût d'être là. Jamais je n'aurais dû accepter de faire ces photos.

M'étaient revenus trop de mauvais souvenirs, ceux que je m'efforçais d'occulter depuis quelque temps... même douleur qu'à Madagascar, île sublime où pourtant tout pousse à loisir, sauf que le riz cultivé par les Malgaches est aussitôt exporté pour tenter de rembourser les dettes du pays. Résultat, le peuple manque de tout. Gentillesse de ces inconnus croisés au hasard des rues de Tananarive, contents de voir un Français... Étonnant, émouvant... visages entrevus, sourires échangés, empreintes dans la mémoire.

Dix-sept

Quand j'étais gosse, la timidité m'étouffait.
J'étais incapable d'être *cool* avec une fille que je dévisageais, hors d'état d'avoir l'air naturel au milieu d'un groupe de gens, avais les cheveux si courts que je me sentais moche, nu devant les autres. Il faut dire que la vie m'avait affublé de grandes oreilles, si bien que les gens bienveillants devaient sûrement craindre mon décollage par jour de grand vent... Certains, au hasard de mes séjours lycéens, m'avaient même surnommé Pleumeur-Bodou, du nom du radôme géant planté dans la campagne de Perros-Guirec... eu un vieux complexe pendant des années.

Un jour, je pleure en sortant de chez le coiffeur. Mon père me demande ce qui se passe... je lui raconte. Il s'empresse de téléphoner à ma mère pour lui exposer la situation. De ce jour, mes cheveux auront le droit de gambader en paix, ne seront plus menacés de quelconques tortures... je reprendrai peu à peu forme humaine!

Je pense à cette anecdote parce que je viens de retrouver une photo de moi datant de cette époque bénie. Kim, qui n'en rate pas une, s'est empressée de se marrer en jaugeant mes oreilles, ajoute en les découvrant aujourd'hui qu'elle n'aurait jamais imaginé que mes cheveux abritaient de tels chefs-d'œuvre!

Combien de chirurgiens esthétiques seraient au chômage sans le désir forcené que nous pouvons avoir de plaire, de nous sentir bien dans nos peaux de créatures de passage?

Période compliquée. Peu de photos vendues puisque peu de photos faites. Culpabilité, de nouveau, par rapport à Vanessa, amour intense pour Kim, le lit idéal pour une dépression. Je rumine des journées entières. Kim affirme qu'elle ne me sert à rien, que je ne l'aime que quand elle n'est pas là, que je me complais dans ma souffrance. Impossible à quelqu'un qui ne le vit pas de comprendre ce qu'est un état dépressif profond. L'autre cherche à aider mais ne sait pas quoi faire, quoi dire, commet sans arrêt des erreurs, a tendance à penser que le déprimé exagère le mal... éternel problème de ces affections qui ne se voient pas à l'œil nu, ne sauraient que se raconter, quand elles le peuvent. On dit que la force est en soi... J'ignore si c'est le cas ou pas, mais ce que je sais profondément, c'est qu'en ce moment pas plus de traces de force que d'autre chose... envie de rien, mes gamberges me bouffent, décisions hâtives prises n'importe comment, n'importe quand. Ma vie? Un édifice branlant où tout est sur le point de s'écrouler. Je reste enfermé chez moi sans jamais ouvrir les volets. La lumière me fait peur, j'essaie de lire, n'en suis pas capable. Fond du gouffre. Je cherche une sortie. Ne manque qu'une chose: que Kim me largue... tout sera parfait!

J'envie parfois sa jeunesse, ses impulsions. Elle sort, voit du monde, s'amuse quand elle ne bosse pas. Je ne lui suis d'aucune utilité, elle n'a pas besoin de voir quelqu'un qui la saccage en ce moment, il faut qu'au contraire elle avance, s'affirme, s'envole, haut, très haut. On doit toujours souhaiter des réussites personnelles aux gens qu'on aime, sinon ce n'est pas de l'amour qu'on éprouve à leur égard. Je plains ces enfoirés dont le seul but dans la vie est d'empêcher leur femme de s'épanouir.

Comment quelqu'un peut-il déclarer d'un ton péremptoire: «Il ne saurait être question qu'elle travaille, elle est là pour s'occuper de la maison, des enfants!» Comment les filles peuvent-elles supporter tant d'égoïsme, de nullité? C'est tellement formidable d'être fier de la réussite de celui ou celle qu'on aime!

Kim m'est indispensable. Il est capital qu'elle aille jusqu'au bout de ses envies. Un de mes défauts, je ne le lui montre pas assez. Quiproquos... combien d'histoires d'amour tuées par des quiproquos, des incompréhensions? De la toute importance du dialogue, de l'échange.

Vanessa a trouvé un appartement, vit de ses piges, en vit bien. Elle n'appelle plus, ça me tourmente. Elle fait partie de mon être, mais d'une façon différente. Kim ne comprend pas qu'on puisse aimer quelqu'un au delà de l'amour, de la séparation, de la déchirure... c'est pourtant ce qui se passe! L'amour s'est dépassionné, mais peut-être s'est-il endurci, amélioré, développé autrement... je n'en sais rien, ne suis pas jaloux de ce que peut faire Vanessa. Par contre, imaginer quelqu'un avec Kim me rend malade. Situation inextricable!

C'est la période que choisit Kim pour m'annoncer, les larmes aux yeux, qu'elle a rencontré quelqu'un d'autre. Elle m'aime toujours, dit-elle, mais s'est laissé séduire par ce type qui faisait tout depuis des mois pour qu'elle plonge... je suis anéanti, ne cherche même pas à savoir qui c'est, ça changerait quoi? Elle semble elle aussi détruite par cet aveu. Je lui en veux, je la hais, je voudrais disparaître à l'instant, ne plus jamais la voir, ne plus voir personne.

Elle me serre contre elle, gémit qu'elle n'est pas la seule fautive, que je n'ai rien fait, depuis des semaines, pour lui prouver qu'elle m'était essentielle. Elle a besoin de se sentir unique, sans ça, ajoute-t-elle, elle dépérit, meurt à petit feu. J'écoute ahuri, me dis qu'il se peut qu'elle ait tout à fait raison. J'ai été si égoïste depuis quelque temps que je n'ai fait attention à rien, pas même à elle. Je me sens laminé, mis en pièces par ses paroles.

Plus jeune, déjà, quand quelqu'un entrait en concurrence avec moi dans une histoire d'amour, je cédais la place, systématiquement... me suis rarement senti fort, certain d'être celui qu'on choisirait. J'avais tort quelquefois. Ceci dit, je n'ai jamais été un grand fervent de la compétition amoureuse.

Les semaines qui suivent sont épouvantables. Je traverse de grandes plages de détresse. Quand par hasard je croise Vanessa dans un endroit où nous aimions nous rendre ensemble, je suis incapable de faire part, de communiquer, porte sur le visage le masque des mauvais jours. Elle me soutient que je suis un idiot, que je n'avais qu'à vivre mon histoire jusqu'au bout, éluder mes états d'âme la concernant, qu'elle aussi a vécu des moments difficiles, s'en est plus ou moins sortie grâce à ses amis. J'écris à Kim, des lettres longues à n'en plus finir qui restent sans réponse. En désespoir de cause, je sonne chez elle la veille de Noël, la trouve en train de préparer une valise avec Corinne, une amie avec qui, m'annonce-t-elle froidement, elle part aux sports d'hiver. Elles ne seront pas seules puisqu'elles vont chez des potes, dans un chalet. Le moins qu'on puisse dire, c'est que je ne suis pas du tout mais pas du tout invité! Je lui parle de mes lettres, elle ne relève pas.

Je finis par lui demander où je peux la joindre. Elle me répond qu'il n'y a pas de téléphone là où elle va. Je rentre chez moi, accablé. Deux jours plus tard, après maintes recherches, je trouve un numéro qui pourrait correspondre à l'endroit où elle est supposée être. Je le compose. Une voix masculine, encore une, me répond.

On me la passe. Elle se sent prise en flagrant délit de mensonge. Je lui dis que je voulais simplement savoir si le voyage s'était bien déroulé. Elle me rassure en ayant de toute évidence la plus grande difficulté à trouver ses mots. Impression de gâchis quand je raccroche. S'il restait un espoir, aussi mince fût-il, j'ai tout foutu en l'air. Quelques amis chez moi pour le réveillon du jour de l'An. Ils sont arrivés les bras pleins de cadeaux, de bouffe, de champagne. À minuit, Vanessa m'appelle pour me souhaiter une bonne année... remords de ne pas l'avoir accompagnée comme elle me l'avait proposé lors de notre dernière rencontre. Je ne mange rien. Mes potes font tout pour essayer de me distraire... Kim dans la tête. Elle téléphone à minuit vingt-cinq d'un restaurant. Elle dîne avec toute une bande. Dans le brouhaha, je l'entends qui me murmure des vœux dont je me contrefous! J'attends d'elle autre chose que ces vœux de merde... La nouvelle année commence mal... mes amis m'abandonnent à mes idées noires.

Le lendemain, Kim rappelle pour me dire qu'elle ne pouvait pas parler la veille, mais qu'elle pense à moi tout le temps.

Dix-huit

— Est-ce que les histoires d'amour valent la peine qu'on fiche sa vie en l'air? Je me pose la question depuis des jours. Je ne trouve pas de réponse. Tu m'écoutes? Claire! tu m'écoutes? Je radote? Depuis le temps que je te débite mon histoire... je suis sûre que tu as raison, mais c'est plus fort que moi, je ne peux pas faire autrement. Si je n'en parle pas à toi, j'en parle à qui? Tu n'as jamais vécu ça, toi. Tu as l'art, la manière, le talent de garder ton homme. C'est un don que je croyais avoir, mais... Réponds-moi... tu penses que les histoires d'amour... Quoi? tu as le culot d'insinuer que oui? Mais, ma chérie, je te souhaite bien du plaisir si jamais Christophe décide de prendre l'air. On verra la tête que tu feras, quel discours tu tiendras. Mais non, je ne souhaite pas que ça t'arrive! Mais, que tu puisses me répondre ça... Enfin, je t'aime quand même. Bref... on se parle demain? Je t'embrasse. Dors bien.

Vanessa regarde sans le voir ce téléphone qui lui raconte des choses si étranges. Claire! Comment Claire peut-elle assener des vérités pareilles? Elle sourit doucement, estime que sa meilleure amie a raison, qu'elle doit tellement s'ennuyer avec son mari qu'à la première occasion...

Elle s'observe dans le miroir. Corps parfait, visage éblouissant, pas la moindre ride, merci les produits de beauté! Que de crèmes, que de lotions en tous genres pour essayer de maintenir en place ce qui aimerait se laisser attirer par la force de gravité. Elle rit toute seule en revoyant Reine hurler à la mort quand il l'observait rentrer avec ses sacs remplis d'onguents! Combien de jours depuis qu'il l'a touchée pour la dernière fois? Deux mois? Trois?

Elle n'arrive pas à faire le compte. Reine semble appartenir à une vie antérieure, vie qui n'existe plus qu'à l'état de lambeaux dans sa mémoire. Ce sont ces lambeaux qui lui font mal, les traces qui la déchirent. Personne autour d'elle ne comprend comment une fille comme elle peut se laisser désarmer à ce point. Elle était pourtant une habituée des parcours sans fautes, faisait *birdie* sur *birdie*, *strike* sur *strike*. D'un coup l'incohérence. Qui l'aurait imaginée tombant dans une trappe sans réagir? Mais l'énergie la quitte, l'événement la secoue. Elle subit sans la moindre forme de résistance, s'en veut infiniment! Elle titube dans une pièce dont les murs se rapprochent, se resserrent pour l'étouffer, l'écraser, la broyer.

— Bien joué, Reine. Tout le mal que j'ai pu te faire sans le vouloir, tu me le rends au centuple!

Bien joué, mais je n'ai jamais rien prémédité, je voulais simplement vivre, vivre. Tu comprends, vivre!

Elle se surprend de nouveau à parler toute seule, jure qu'elle souhaite à Reine des nuits peuplées de cauchemars, voudrait le voir se tordre de douleur, savoir qu'il souffre autant qu'elle a mal.

Elle n'arrive toujours pas à retrouver un vrai sommeil. Sentiment de ne pas avoir dormi depuis des années. Rêve étrange: elle arrive chez elle, toutes les serrures ont été changées, les clés ne rentrent plus, elle sonne, sonne. Une fille qu'elle ne connaît pas vient ouvrir. Reine est derrière la fille. Il déclare calmement, d'une voix indifférente, que ce n'est plus chez elle, qu'elle n'a rien à faire là, qu'elle le sait très bien, que c'est la troisième fois qu'elle recommence, qu'elle ne veut rien écouter, rien comprendre...

Elle allume la lumière pour calmer son cœur qui déraille, bat trop vite, s'emballe. Le cachet qui rassure avant d'encore une fois essayer de se rendormir. Elle voudrait ne jamais plus se réveiller, être débarrassée pour toujours. Jamais elle n'aurait cru que ce serait si douloureux, si pénible de traverser la vie sans lui.

Aux autres, elle donnait le change, personne ne pouvait se douter.

Elle se taisait. À part quelques intimes, aucune de ses connaissances n'était au courant de ce qu'elle endurait. Même ses proches avaient arrêté de lui prodiguer des conseils, de la consoler... aucun de leurs mots n'avait d'effet. Vanessa écoutait, l'esprit ailleurs... ils perdaient leur temps.

Elle voulait ne plus y penser, ne plus le voir. Seulement c'était elle qui faisait son numéro, disait quelques phrases qu'elle s'entendait prononcer sans en avoir une parfaite conscience, elle qui allait vers lui quand de temps en temps sa silhouette se découpait dans l'embrasure d'une porte de restaurant. Elle essayait de se raisonner, rien n'y faisait, chaque fois elle récidivait. Plus les jours passaient, plus elle se sentait rétrécir, diminuer, mourir doucement quand toutes les apparences donnaient d'elle une image que plus d'une lui aurait enviée.

Michaël avait cessé d'y croire. Elle l'avait revu, souvent. C'était comme avant. La seule différence, c'était qu'avant Reine était là. Aujourd'hui tout avait sombré...

Elle ne le vit plus.

Dix-neuf

Kim est rentrée hier, je lui ai parlé une heure,

PARIS: RÉCIT + FLASHBACK MÉMOIRE

elle a été très discrète au sujet de ses vacances, a simplement murmuré que j'avais parfaitement réussi à les lui gâcher, qu'après mon coup de fil elle avait failli revenir à Paris, avait finalement décidé de rester.

J'aime l'entendre. Ses mots, même quand ils sont un peu douloureux, me font du bien... masochisme, partie intégrante de l'amour. La jouissance ne serait-elle rien sans la douleur qui la complète, la compense? Qui se vanterait d'être sorti intact d'une vraie histoire d'amour? Ne pas en garder ne serait-ce qu'une égratignure signifierait que ce n'était pas vraiment de l'amour, que ça ne faisait que s'en approcher, y ressemblait fortement mais n'en était pas.

L'amour fait toujours mal, à soi, à l'autre... je le sais. Plus j'en ai conscience, plus je me fais un plaisir de m'y frotter, comme si chaque fois il me semblait important d'évaluer mes limites...

Les sensations fortes sont beaucoup trop délicieuses pour qu'on puisse se permettre de les refuser. L'amour inspire. Quand on est incapable de créer, on souffre encore plus... pas d'exutoire, d'extériorisation des sentiments sous une forme ou une autre, tout reste à l'intérieur, le mal sape, fait son travail à merveille!

Deux semaines depuis son départ. Deux semaines que je ne l'ai pas revue. Elle a peut-être évolué... Qui sait ce que je penserais, dans quel état d'esprit elle serait, les gens changent si vite, le recul les emporte, les détourne de ces évidences qui paraissaient définitives, les hésitations balaient les coups de cœur, l'indifférence remplace l'élan.

À propos de masochisme, je me souviens d'une fille qui la nuit prononçait le prénom d'un autre quand je la touchais... Ça me faisait un mal fou mais je me taisais, je l'aimais... je devais en tenir une bonne couche pour supporter! J'ai oublié son nom. Je sais seulement qu'elle habitait Londres, travaillait au pair chez une vieille dame. J'étais allé la voir pour Noël, elle m'avait offert une écharpe écossaise. Je n'arrive plus à me souvenir du parfum que je lui avais apporté... *Diorissimo* je crois.

C'est vraiment le parfum qui m'aura toujours fait fantasmer. De l'importance, encore, des parfums! Un jour, à Montréal, la femme d'un copain: dans leur salle de bains une bouteille dudit *Diorissimo*. Je débouche le flacon, me laisse envahir par l'odeur, submerger par les souvenirs, pousse le vice jusqu'à m'en mettre sur la main!... Soirée inoubliable, j'ai pensé à mon Anglaise toute la nuit!

Il faut que j'en offre à Kim.

J'aimerais le sentir sur elle... pas sûr que ça lui aille. Certains parfums s'accordent mal à certaines peaux. Je souhaite que sa peau soit docile.

J'adore faire des cadeaux. C'est encore mieux que d'en recevoir. Plaisir de l'achat, de l'offre, voir s'éclairer le visage de celui ou celle à qui est destiné le présent. Être riche pour passer mes journées à faire des surprises à ceux que j'aime! Ils ne sont pas nombreux, n'en ont que plus d'importance. Faire des cadeaux, c'est se moquer de la date, suivre son envie, son instinct. Quoi de plus banal que ces fêtes programmées, instituées depuis la nuit des temps, à la gloire de tel dieu, tel saint!

De Noël à Pâques, en passant par les anniversaires, les dates fixes, immuables, accompagnées de leurs offrandes, me rendent morose. Horreur de ceux qui s'empiffrent, s'écœurent, se gavent de foie gras, d'huîtres, de champagne, ces jouisseurs qui s'explosent la panse parce qu'il est écrit que c'est fête, qu'on ne saurait y échapper. Ces cérémonies m'attristent surtout par rapport à ceux qui n'ont rien, ou pas grand-chose, ceux dont les regards se reflètent dans les vitrines qu'ils ne pourront jamais traverser, ceux qui voudraient bien, de temps en temps, avoir un peu moins peur, un peu moins froid, un peu moins faim. Facile à dire, facile de plaindre les autres quand on est soi-même privilégié... je sais, il n'empêche! Toutes ces fêtes officielles, ces dates spéciales du calendrier en arrivent à vous donner l'impression que vous êtes bête si vous n'avez pas les envies des autres au même moment! Mais le cadeau spontané, la pulsion qui fait traverser la rue en courant pour une fleur, un livre, un bijou, le souffle qui vous porte quand brusquement le désir vous prend de faire plaisir... irremplaçables!

Souvenir de ma mère morte un treize mai.

Un de ses derniers souhaits, avoir à côté d'elle le muguet que je lui avais offert quelques jours auparavant. L'émotion quand j'y repense... Kim me manque. Je viens de passer vingt minutes au téléphone avec Fabrice. Longtemps que je le connais, il fait partie des amis de longue date, le clan des irréductibles. Il est de passage à Paris. On a parlé des femmes, de ce plaisir qu'on prend à se faire mal. Il me soutient qu'elles se relèvent plus facilement que nous, ont une protection supplémentaire.

Il prétend, est très sincère ce faisant, qu'elles ont un gène que nous autres hommes ne possédons pas, un petit quelque chose dans leurs chromosomes qui les immunise un peu... Il me fait rigoler... ne prend jamais grand-chose au sérieux. J'ai parfois l'impression d'être le seul à souffrir, alors que ce que je vis se joue en permanence un peu partout. Fabrice a peut-être raison. Vanessa par exemple, je l'imagine assez mal ne pas se remettre facilement d'une séparation, que ce soit de moi ou d'un autre qu'il s'agisse, je la sens très capable de ne pas se blesser en tombant. Mais peut-être que je ne la connais pas... Qui sait si les femmes qu'on aime ne sont pas trop proches pour que leur aura ne nous aveugle pas?

En ce moment, Kim n'est pas assez proche. Je l'aimerais présente à toute heure même s'il est vrai que je me lasse très vite des personnes trop envahissantes... un jour blanc, un jour noir, ma culture personnelle du paradoxe, mon côté éternel insatisfait qui remonte en surface. Si elle était là, je suis presque certain que je la voudrais loin. Mais pour l'instant, son manque me dévaste, je ne veux pas l'imaginer sans moi, envie de tuer les autres, ceux qui l'approchent, la désirent, lui parlent, à qui bien sûr elle répond!

Philippe me supplie de prendre l'avion pour la Yougoslavie, bombardements répétés sur la vieille ville de Dubrovnik...

La presse se rue sur place... je fais le mort, j'ai peur de quitter Paris, capitale de ma souffrance, de ma guérison. L'histoire, encore une fois, se fera sans moi.

Imprévisible le manque d'envie. J'avais fui pour ça... Revenu, l'envie n'a pas suivi, s'est perdue je ne sais où.

J'admire sans retenue ceux qui, victimes d'un accident, paralysés parfois presque totalement, se battent pour survivre, s'accrochent à force de volonté, réussissent parfois à récupérer tout ou partie de leur autonomie... Jamais je n'aurais ce courage, cette détermination qui fait que, quel que soit le discours, vous avancez, forçant une guérison qui pouvait sembler compromise...

Imbécile que je suis de m'apitoyer sur mon sort quand ceux dont je viens de parler se contenteraient d'une petite parcelle de ma vie! Vanessa savait me bouger, ébranlait ma force d'inertie, Vanessa à qui je pense tout le temps, elle dont le nom semble à jamais lié à mon existence.

Kim ne sera jamais Vanessa. Personne n'est ir-remplaçable... pourtant, certains êtres le sont plus que d'autres.

Vingt

E lle avait une envie folle de parler à Reine,

PARIS: STUDIO DE KIM/FIN DE MATINÉE

mais elle ne l'appelait pas, ignorait pourquoi. Elle
l'aurait désiré tout près, aspirait à s'endormir dans
ses bras, à se réveiller à ses côtés, petites choses
simples, quotidiennes, parcelles d'intimité partagées
si peu de temps. Ensenada dans sa tête, blessure
ouverte à jamais, goût donné comme pour mieux
attiser le manque, mieux faire regretter... Morte elle
était. Quand on commence à ne plus pouvoir faire
ce qu'on souhaite, les jours passent, la situation em-
pire, patine. Elle était retenue par une force irrésis-
tible, inconnue, inhibant son désir de passer à l'acte.
Au début, elle s'était faite à l'idée que Vanessa n'avait
plus qu'une importance relative pour Reine, qu'elle
faisait partie de ce passé auquel on continue de
s'accrocher de toutes ses forces pour ne pas être emporté par la vague. Elle était en train de réaliser qu'il
n'en était rien, qu'au contraire Vanessa avait pour lui

une importance capitale, qu'elle l'avait définitivement marqué de son sceau! Elle lui masquait l'horizon. Kim avait ce genre de situation en horreur... à aucun moment, aucun endroit elle ne pouvait avoir une influence quelconque. Nulle certitude sinon le sentiment confus qu'elle s'apprêtait à y laisser des plumes. Elle se protégeait comme elle pouvait... sa seule défense pour l'instant: ne pas se manifester, ne pas le voir. Jusqu'à quand tiendrait-elle? Toute la question était là.

Elle tint dix jours, craqua.

Elle comptait tomber sur le répondeur, ce fut Vanessa.

Les dés étaient pipés.

Elle avait raccroché précipitamment, sous le choc, terrassée par la voix qu'elle venait d'entendre, n'aimait pas se figurer Reine dans un rôle de faux jeton, ça ne lui allait pas, mais peut-être s'était-elle plantée depuis le début, aveuglée par l'amour qu'elle pouvait lui porter. Il avait déroulé sa vie devant elle, lui avait raconté sa fuite, évoqué certaines des femmes de son existence, l'avait abreuvée de promesses, de paroles, n'avait omis qu'un seul petit détail: il aimait toujours Vanessa, qui sait, il vivait peut-être encore de temps en temps avec elle.

Elle était suffoquée...

La surprise dissipée, elle avait décidé de rappeler, pour essayer d'avoir un semblant d'explication, franche espérait-elle, pour ne pas continuer à passer pour la débile à qui il pouvait tout faire avaler. Reine décrocha. Il avait l'air surpris de ce coup de fil. Elle voulut être désagréable, n'en eut pas le loisir. De lui-même, il demanda si c'était elle qui avait téléphoné dix minutes auparavant, l'entendit répondre oui, lui avoua le plus simplement du monde que Vanessa avait répondu parce qu'elle était à côté de l'appareil, récupérant des affaires qui lui manquaient. Il avait l'air sincère... elle le crut. Sans réfléchir, elle lui demanda s'il se sentait l'envie de l'accompagner au bord de la mer, elle avait besoin de se vider l'esprit, de sortir de Paris, estimait ne pas avoir la force de faire le voyage seule.

Il avait ri, lui avait murmuré que c'était une excellente idée. Elle ferma les yeux. Une fois de plus elle était dans les mâchoires du piège, terrifiée mais terriblement heureuse... le cercle infernal était brisé... peut-être que lui aussi n'attendait que ça!

Elle le souhaitait, priait le ciel de ne s'être pas trompée... l'avenir le lui dirait, d'une façon ou d'une autre, l'important était de construire, elle ignorait quoi, de quelle façon, avait seulement conscience qu'il ne fallait plus rester sur place, elle devait avancer, avancer peut-être jusqu'au bord du gouffre.

Quand elle se remémorait Ensenada, lui venait une sensation étrange, vertige, déséquilibre, peur, quelque chose de jamais ressenti auparavant. Ces jours l'avaient marquée. Elle regrettait d'être rentrée, aurait pu mourir là-bas.

Sensation équivalente quand elle était partie seule au Kenya. Encore un coup de tête! Au bord du lac de Naïkuru, des buffles la regardant d'un drôle d'œil, elle avait passé de longues heures à contempler la frange mouvante des flamants roses s'étirant sur des kilomètres, couleurs sublimes qui allaient, venaient au gré des mouvements de l'eau. Deux jours plus tard, sur l'herbe d'un *lodge* d'où lui parvenaient des effluves d'agneau à la menthe, elle s'était dit qu'après tout ce serait peut-être bien si la tourmente s'arrêtait comme ça, d'un coup!

Reine l'avait fortement impressionnée. Dans l'avion, c'était par pure provocation qu'elle l'avait abordé, par jeu, aussi pour vérifier une fois de plus la force de son pouvoir de séduction. Elle l'avait trouvé timide, attirant, réservé, plein de charme... s'était, peu à peu, laissé prendre au jeu. De coups de téléphone en balades au Mexique, elle avait, presque malgré elle, récupéré le premier rôle féminin d'une histoire d'amour dont le scénario évoluait tous les jours.

Elle avait joué à l'apprentie sorcière, était prisonnière!

Elle hésitait sur les termes: amoureuse ou manipulée? Peut-être les deux, mais elle savait qu'elle manipulait Reine autant qu'elle était manipulée. Son image ne la quittait pas. Elle lui avait fait découvrir un coin du Mexique, elle lui montrerait d'autres endroits, elle en avait la conviction. Ses déprimes à répétition lui faisaient de la peine. Elle le voulait fort, qu'il la guide, lui apprenne des chemins qu'elle ignorait. Elle était prête à le suivre n'importe où... Elle se laisserait faire parce qu'elle n'avait qu'une seule idée, ne pas réagir négativement devant la montée du bien-être. Elle avait décidé de se laisser porter par le flot.

Vingt et un

Tu es cadrée dans mon viseur, occupes tout l'espace, le remplis d'une infinité de douceur, de beauté. Saisir l'instant, la seconde d'éternité, cet impalpable qu'est le charme... J'appuie.

Tu éclates de rire, me dis que tu en as marre de poser, qu'on devrait manger des crêpes, boire du cidre, au lieu de jouer à *Blow up!*

Je suis d'accord.

Terrasse déserte, peu de touristes à Camaret. Devant la digue, la coque en bois d'un vieux caboteur pourrit sous le soleil, le sel. Trois jours que nous sommes ici, accrochés l'un à l'autre du matin au soir comme pour conjurer le mauvais sort. Trois jours que je t'écoute, que tu fais des grimaces quand tu manges des huîtres, m'embrasses quand je m'y attends le moins. Ma peau te rend ce que la tienne lui donne. Trois nuits déjà que Vanessa m'est presque sortie de la tête, qu'elle a commencé, à pas feutrés, à quitter notre univers.

137

Le train jusqu'à Brest, le taxi jusqu'ici... Facile, si facile quand je pense à l'incertitude des semaines précédentes, à ce malaise frisant le désespoir, à cette absence de toi qui m'empêchait d'être moi. Tu te moques de tout, je me fous de ce qui n'est pas toi... Ça valait peut-être la peine d'attendre! Tout est si simple, toi, moi, personne pour nous compliquer la vie.

On aura marché des heures sur les rochers glissants, trempé dans l'eau glacée nos mains qui ne voulaient pas se séparer, appris le nom des îles qui se découpent au large quand la brume se dissipe, que leurs contours se dessinent à l'horizon.

Quand j'étais plus jeune, j'allais passer des vacances à Belle-Île. J'adorais le far breton.

L'eau était froide à Belle-Île, comme ici. Mes frères adoraient... moi, je n'ai jamais été séduit par la banquise! J'ai une préférence très affirmée pour les eaux tropicales, mais Belle-Île, c'était toute une ambiance, les embruns sur Port-Coton quand j'avais peur de voir mon vélo plonger dans la mer... son déchaînement en contrebas me terrifiait!

Années insouciantes de la préadolescence, quand le regard des filles vous voit rougir jusqu'aux oreilles, que l'envie d'elles vous perturbe, que vous découvrez que le sexe est un jeu pour les plus grands! Vous ne penseriez qu'à pousser plus vite, plus vite pour profiter de tout!

Insouciance!... Je retrouve un peu d'adolescence en ce moment.

J'aurai grandi, comme je le souhaitais, mais me seront venus par moments les regrets d'avoir franchi les étapes... Je me souviens d'un été...

Mon père, mes frères, moi, Belle-Île, juillet 68. Les tables du restaurant de l'hôtel sont presque toutes occupées. J'ai croisé dans l'après-midi le regard d'une fille, sur la plage à côté. Elle est à table avec ses parents, a l'air de s'ennuyer à mourir. Mes frères lui ont déjà trouvé un surnom: l'ennui.

Elle passe visiblement des vacances contrainte, forcée. Ils sont assis derrière nous, mon père leur fait face, je leur tourne le dos. J'ai raconté au début du repas l'histoire de l'après-midi. Énigmatique, mon père me dit:

— Tu vois, dans un roman ou un film, elle quitterait la table après avoir pris congé de ses parents, glisserait devant nous indifférente, très naturelle… tu attendrais cinq minutes, la rejoindrais dehors… Dans une fiction ça pourrait se passer comme ça, je suis même à peu près certain que c'est ce qui arriverait!

Je l'écoute, bouche bée, sidéré. À ce moment précis, la fille se dresse, embrasse ses parents, frôle notre table, très digne, apparemment sans la moindre émotion, sort. Mes frères ont la tête dans leur assiette. Silence pesant. Je regarde mon père, lui glisse:

— Tu persistes?… Tu crois que ça va se dérouler comme tu le prétends, qu'elle est dehors, que bien sûr elle n'attend que moi, qu'elle n'est en aucun cas montée se coucher?… Ce serait un peu trop beau, non?

Il enchaîne, imperturbable:

— Essaie! lève-toi, bouge, tu verras bien... Si ce que tu as dit tout à l'heure quand tu parlais de la plage est vrai, à mon avis elle t'attend, enfin je pense qu'elle espère que quelque chose va la distraire, vas-y, qu'est-ce que tu risques?

Je repousse ma chaise le plus discrètement possible, traverse le restaurant sans un seul regard vers la table où elle se trouvait avec ses parents, m'enfonce dans le jardin. Elle est là, toute seule dans la nuit.

Les parents ont souvent raison. Si la vie était comme dans certains films, si prévoir était possible, anticiper à notre portée, les situations seraient tellement moins compliquées!

Les quelques jours avec Kim auront passé comme dans un songe, trop courts, trop remplis, intenses... Je crains le réveil, la chute.

Quel prix pour un semblant de perfection? Toujours un détail qui va de travers, l'instant génial décapé par l'inattendu sordide... Je rêve de laps de temps qui dureraient, se ressembleraient dans leur simplicité, leur force, leur douceur, leur magie, leur éclat, leur silence suspendu... Quel don faut-il pour être heureux? L'insouciance, ne penser qu'au présent, rayer des listes l'imaginaire, les projections éventuelles dans le futur, savoir laisser faire la vie quand la vie sait ce qu'elle fait?... J'ai déjà fait allusion à ce don que j'ai d'imaginer la fin quand ce n'est que le début, en ajouterai un autre, non des moindres: rendre compliqué ce qui pourrait rester simple. C'est ancré dans ma tête depuis si longtemps que j'ai le sentiment de n'avoir jamais été autre. Pourtant, je suis parfois en état d'être indifférent au chaos, de ne pas penser, du moins pas trop. J'ai, comme beaucoup, une carapace assez épaisse pour quelquefois me sentir à l'abri des éléments qui perturbent... Plaisir sûrement de casser l'étincelle de bien-être en mettant la machine à réfléchir en route... la vie aura suivi un cours houleux pour que je sois parvenu où je suis aujourd'hui. J'avais des tentations, un but lointain, imprécis peut-être mais but quand même. Qu'est-ce qui fait que d'un coup les cartes deviennent fausses, les boussoles illusoires, folles?

Vingt-deux

Kim retourne à ses cours. Je rentre chez moi presque tous les soirs pour qu'elle puisse réviser, ses partiels arrivent à grands pas. Elle ne souhaite pas ma présence parce que je la déconcentre. Je fais ce qu'elle veut, si elle pense que c'est la bonne solution... Des nouvelles de Vanessa par un coup de fil de sa sœur, une fille que j'adore, qui, je pense, me le rend bien. Elle est toujours de bon conseil, clairvoyante, nous a souvent rendu service. Quand Vanessa allait mal, que mon moral suivait le sien, qu'autour de nous beaucoup de choses s'effritaient, elle était là, toujours. Elle a le sentiment que Vanessa joue la comédie, qu'elle part à la dérive, que, malgré les apparences, de jour en jour elle se désagrège, n'osera jamais m'en parler, ne m'avouera jamais le fond de la vérité...

Vanessa lui a fait comprendre qu'il n'y a qu'avec moi qu'elle aimerait entreprendre certaines choses.

Je me sens très concerné, lui promets de la voir. J'appelle Vanessa sous un prétexte quelconque, l'invite à dîner. Restaurant thaï. Le repas tourne à l'orage, au drame. Discours sur l'amour, la fidélité, où elle commence, où elle s'arrête... L'infidélité, proclame-t-elle, ne tire pas toujours à conséquence. Si cette fois c'est le cas, c'est entièrement de ma faute, j'ai privilégié ma relation avec Kim, mettant en péril la nôtre. Pour elle, j'aurais pu vivre ce que je désirais avec qui je voulais, rien n'aurait dû entamer les rapports exceptionnels que nous avions. Elle n'oublie qu'une chose: quand je suis parti aux États-Unis, je ne connaissais pas Kim... pourtant, elle étouffait autant que moi! Elle n'admet pas que je le lui dise. Elle pense que si ça continue, dans peu de temps, nous serons deux étrangers.

Quant à notre complicité, ce lien rare, insolent, qui rendait fous les autres!... Je me dis qu'elle a des raisons d'être déçue, mais que je ne suis pas en mesure d'être d'accord avec sa notion de la fidélité. J'ai du mal à mener une double vie. Kim m'apporte trop, de la volupté à l'humour, l'émotion, pour que je puisse imaginer tirer le moindre trait sur elle. Je me sentirais bancal sans sa jeunesse, sa liberté qui par moments me fait toucher du doigt mes entraves. Vanessa va mieux quand elle ne me voit pas. Contrairement à ce que prétend sa sœur, il m'est apparu que le dîner de l'autre soir lui a fait plus de mal que de bien. Quand elle ne se met pas à regretter ces moments de notre vie qui resteront à jamais irremplaçables, elle va bien.

Qu'elle me croise ou recommence à penser, sa force disparaît, elle redescend la pente.

Je n'aime pas les larmes. Ce sont des coups de poignard. Qu'elle pleure, je me déchire en petits morceaux, je n'arrive plus à raisonner sainement. Elle pleurait l'autre nuit...

Je versais moi aussi des larmes sur nos traces de pas qui divergeaient pour risquer de ne plus se croiser, jamais!...

Je pourrais revivre avec elle si Kim n'existait pas... rien de désagréable dans notre relation récente... mais Kim existe, tout est faussé par cette intruse, la place qu'elle prend. Vanessa le sait, le sent. Tous les conseils qu'elle donnerait à ses amies au sujet d'une histoire semblable, elle ne les applique pas à son cas, fait exactement le contraire de ce qu'il faudrait, en est consciente, le dit.

Ce dîner qui n'en finissait plus, la nuit qui s'étirait, la conversation qui revenait toujours au même endroit, l'endroit qui fait mal, sur lequel on appuie parce que c'est là qu'on sent battre la douleur. Vanessa savait parfaitement ce qu'il fallait évoquer pour insinuer le doute, la souffrance, déstabiliser. Je lui avais répondu comme je pouvais, d'une façon, disait-elle, proche de la cruauté mentale. Elle se sentait transparente quand je la regardais, inexistante sous mes yeux, ajoutait qu'elle n'était même pas étrangère, que c'était encore pire... Je ne faisais pas exprès, voulais être le plus agréable possible, étais d'après elle abominable. Peut-être qu'inconsciemment je me vengeais du mal qu'elle m'avait fait des années auparavant... qui peut prétendre oublier? J'avais affirmé que c'était le cas, mais la blessure devait être plus profonde qu'il n'avait semblé. Tout, ce soir-là, remontait à la surface sous une forme déguisée.

Elle s'était endormie chez moi, au lever du jour, sur le divan, sonnée par tout ce qu'elle avalait pour diluer sa déprime, son désespoir. J'avais, moi aussi, fait en sorte de trouver le sommeil dans ce qui avait été notre chambre, avais eu envie de parler à Kim, renoncé.

Il suffirait de pas grand-chose pour que je penche dans un sens ou dans l'autre, pour que je suive dans son voyage le fléau d'une balance invisible... Le poids des années heureuses, cohorte de souvenirs, beaux, attachants. Face à eux, l'aventure, les étonnements à venir, bons ou mauvais, l'attrait du risque, de la remise en question. Le choix, impossible puisque apportant dans chacune de ses composantes des éléments essentiels.

Je sais que Kim n'attendra plus longtemps. Sa rencontre, cette aventure parallèle à la nôtre entamée il y a quelques semaines n'est en rien le fruit du hasard. Je ne peux en vouloir à celle qui se sent trop souvent sacrifiée, abandonnée, laissée-pour-compte, seule avec ses études. Lui faire quelque reproche serait à la frontière de l'indécence!

Je la sais déjà changée, autre, qui s'est construit une armure pour avoir moins mal, une défense en alerte permanente pour ne pas se laisser surprendre... je sais tout ça, pressens aussi que quand elle aura décidé de tirer un trait, il sera définitif!

Le mot *définitif* me rend fou. Je fais tout ce qui est en mon pouvoir pour le rayer de ma conscience... Je suis quand même sous le feu de deux êtres qui s'apprêtent à tourner sur moi une page de leur vie.

Vingt-trois

Yougoslavie, le drame se prolonge, l'horreur suit son chemin. En Roumanie, la révolution souhaitée par tous s'était terminée par un simulacre de procès, images tronquées que la télé nous présentait filtrées par la censure... les Ceaucescu abattus sauvagement par des soldats avides de vengeance, tribunal pressé d'en finir au cas où des révélations auraient vu le jour.

La télévision, force incomparable, l'histoire en direct à toute heure du jour ou de la nuit. Pauvre photographe que je suis, les temps ont changé, il est urgent de se recycler, l'image mouvante prenant le pas sur l'image figée. Avant, la photo emprisonnait l'instant pour le restituer à son point culminant. Quand tout bouge si vite, le photographe ressent parfois une vraie sensation d'inutilité, concurrencé qu'il est par la vidéo. Vanessa dans ma mémoire un jour où elle me téléphonait de Managua, disant d'un air enjoué avoir fait de sublimes clichés de la cathédrale bombardée. Ma jalousie, coincé dans cette chambre de Marseille où je suivais la campagne électorale de Gaston Defferre!...

Elle ne faisait pas de photos avant moi. Elle écrivait. Je lui avais offert un Nikon comme premier cadeau. Elle avait tout appris seule, le cadre, les objectifs.

Elle avait du goût pour les mots. Elle en eut pour les images, était prête à rendre compte, ce qu'elle fit.

Je n'ai aucun talent pour les mots, ils me font peur, on en fait ce qu'on veut, ils se retournent contre vous, selon le sens qu'on leur accorde.

Vous lisez une lettre, vous l'interprétez comme vous le sentez, à tort ou à raison. J'en ai écrit certaines qui disaient l'inverse de ma pensée parce que les mots, toujours les mots, m'entraînaient dans une spirale dont le terme n'arrivait qu'à la fin de l'écriture. Quand je me relisais, j'étais étonné de voir l'abîme qui séparait le point de départ du point d'arrivée.

Les mots me glacent. Dans le même temps, m'en servir me fait du bien. Quand il n'y a personne à qui parler, pas de vraie présence qui vous renverrait les vibrations qui émanent de vous, celles que vous aimeriez bien sentir revenir, écrire est sûrement une des meilleures façons de se libérer, d'envoyer dans l'espace ces ondes qui ne demandent qu'à s'exprimer.

De nouveau envie d'écrire à Kim, lui dire ce manque d'elle, cette présence que je ne peux appréhender tant elle est loin de moi, à la fois si proche... Combien de lettres déjà envoyées? Combien de missives contradictoires montrant du doigt mes hésitations, mes pas en avant, mes volte-face? Aller plus loin, être enfin responsable, pouvoir...

Elle me téléphone de moins en moins, vient rarement chez moi. Il est vrai que les endroits où on vit s'imprègnent au fil des ans d'une ambiance susceptible de mettre les autres mal à l'aise. Comment se sentir bien dans l'environnement d'une autre qui a partagé votre vie? Une partie du mal vient de là! J'aimerais Kim dans ma bulle. Ces murs qui me ressemblent, j'aimerais les voir lui ressembler... mais c'est impossible, l'obstacle insurmontable, on ne pense jamais assez aux spectres qui sont là, vivent à vos côtés, vous surveillent, vous guident!

Difficile d'imposer à quelqu'un qu'on aime l'espace construit autour de la personne aimée avant. Les objets s'animent, les souvenirs vous agrippent, les phrases prononcées rejoignent par moments celles que vous aviez dites précédemment. Trouver un endroit neuf, vide de tout, de moi, des réminiscences, remparts infranchissables!

Mais chercher cet autre univers signifierait l'abandon du territoire précédent, la disparition des jalons qui aident à moins se perdre, renoncer à ce qui semble indispensable à l'équilibre des forces en présence. Vanessa passe des nuits agitées, je le sais, elle m'en fait part quand de temps en temps je lui parle. Parfois, je lui propose de dormir chez moi, pour qu'elle se sente moins seule. Elle accepte souvent... d'autres fois refuse... surtout ne pas prendre le risque de tout remettre en route. Le résultat deviendrait vite douloureux!

Quarante ans depuis peu. L'âge mûr, disent-ils! Mûr pour quoi faire? Redescendre la montagne dans l'autre sens, plaire aux jeunes filles attirées par les hommes ayant un certain vécu, devenir cinglé en faisant l'inventaire, l'impitoyable revue de toutes les scènes ratées qu'on a jouées sans y croire?

Je suis en train d'échapper au raisonnable, m'éloigne à grands pas du rationnel, me défais de toutes parts quand, de l'extérieur, ce que je donne à voir pourrait faire croire que je poursuis une route rectiligne, sans détour, que le professionnel se porte aussi bien que l'affectif. De reportages en amours, toute ma vie semble pour les autres n'être faite que de succès! Réussir sa vie... tellement plus important que la réussite dans la vie!...

La notoriété, l'argent, images standard de l'accomplissement, foutaises comparées au bonheur. Rien ne sert à rien, amalgame de possessions inutiles, voitures, grandes maisons, tout ce qu'on voudrait réunir un jour comme autant de filles belles qu'on aurait dans son lit pour se prouver qu'on est toujours vivant!

Je réalise que finalement rien n'aura plus compté pour moi que les amours véritables parfois rencontrées, coups de cœur intenses qui me faisaient rebondir plus loin, vivre dans la fièvre de l'attente, d'un mot, d'un geste, d'un signe... journées passées à espérer, nuits à aimer. Rien n'aura été plus important pour moi qu'aimer... à part, peut-être, être aimé. J'attends de Kim qu'elle me dise qu'elle m'aime. Elle ne me laisse plus de ces messages insensés qui faisaient ma joie. Sentiment d'avoir été lâché par elle depuis notre retour de Bretagne. Je me la dépeins, chaque jour entourée de gens différents, doute quand je ne la vois pas... Que peut-elle me trouver par rapport aux autres? Elle a beau me dire de temps en temps qu'elle n'a rien d'un prix de beauté, pourrait si je le veux me présenter des amies très belles qui me feraient frémir, me sortir toutes ces phrases qui tendraient à prouver qu'elle s'en fout, j'ai la faiblesse, devrais dire la bêtise de croire qu'elle tient quand même un peu à moi... ne sont que ses raisons qui m'échappent!

En tout cas, elle ne me dit jamais qu'elle m'aime, ou si rarement, affirme que ce sont des expressions galvaudées, utilisées n'importe comment, par n'importe qui... Changer tout ça, inventer d'autres langues qui ne seraient comprises que de nous!

Vingt-quatre

J'ai parlé à mon père ce soir, pendant une heure, lui ai tout raconté, Vanessa, qu'il n'a vue qu'une fois, Kim, qu'il ne connaît pas, la perte de mes illusions de photographe, mes amours qui n'en finissent pas de me faire douter. J'ai survolé ma vie. Nous avons évoqué ces événements vécus par lui, chemins de traverse qui l'auront rendu si philosophe, si capable de me faire du bien quand il sent que c'est nécessaire. J'aime son langage. Il a toujours prétendu, j'espère qu'il le disait au douzième degré, que j'étais un taré... Même s'il plaisantait, je sais qu'il regrettait que je n'aie pas lu autant que lui, mais qui le pourrait?... Ces rangées de bouquins s'alignant dans ses bibliothèques, son grenier... deux vies n'y suffiraient pas! Tout lu, ou presque... surtout assimilé la totalité. Culture intense, tant littéraire que musicale, picturale. Son attitude renfermée donne souvent aux autres, dont Vanessa, une impression de type bourru qui fait peur... apparences, apparences, l'attaque avant de se faire bouffer... tout mon père! Parfois, gènes obligent, tout moi.

Pour une fois, il me plaint sincèrement, ne voudrait en aucun cas être à ma place, prétend que j'ai un talent certain pour me vautrer dans la merde, que dans le cas présent il est très difficile de faire pire! Lui, il ne s'était jamais mis dans une telle situation, avait simplement décidé de quitter ma mère pour une autre.

C'était simple. En 1950, ce genre de comportement était encore moins bien vu que maintenant, mais il n'avait pas hésité, divorce, pension alimentaire, il était allé jusqu'au bout, par amour, franchise, loyauté, tant il est vrai que quand on n'aime plus, la question ne se pose pas.

Pour moi elle se posait puisque amours différentes pour femmes essentielles... J'avais pour Vanessa une énorme tendresse, mais plus de passion, j'aimais Kim d'une façon beaucoup plus troublante, peut-être liée au fait que je ne la voyais que rarement, partageant avec elle des moments qui n'étaient en aucun cas liés au quotidien. On a toujours tendance à sublimer l'autre quand il n'est pas présent. On se l'imagine détenteur de toutes les qualités majeures! Le quotidien déforme, défigure, grignote tour à tour les sentiments, les beautés, les charmes...

On perçoit tout avec moins d'acuité, la rareté idéalise à merveille. Son silence accentuait encore plus le côté irremplaçable de Kim. Mon père m'a dit, pour conclure, que j'avais le jeu entre les mains, restait à tirer la bonne carte!

J'avais eu très envie de la lui présenter, pour qu'il essaie de comprendre, pour qu'il puisse peut-être me donner son avis sur elle. L'aurait-il fait? J'aurais voulu les voir, à un certain moment, respirer le même air. Il n'aurait même pas été surpris, l'aurait charmée, contrairement aux légendes stipulant le contraire. Kim se serait sentie à l'aise en sa présence, comme si elle le fréquentait de longue date, que les murs de la maison de granit la savaient depuis longtemps, la devinaient sans la connaître. Elle aurait bu de ce bordeaux que mon père gardait jalousement dans sa cave, mes frères nous auraient rejoints à la fin du repas, cela aurait ressemblé à s'y méprendre à une scène habituelle dans une famille unie cherchant chaque bonne occasion pour se retrouver, se dire des choses agréables, être bien. Elle serait entrée dans le cercle, aurait été reçue avec mention!

Le lendemain, je lui aurais fait visiter le village de mon enfance, deux mille âmes au cœur de la campagne vallonnée. Nous serions allés au cimetière, pour qu'elle partage aussi mon émotion concernant quelque chose de précis: la tombe, toute simple, sans croix, deux blocs de marbre noir posés l'un sur l'autre, tout au bout d'une allée. Inscriptions surprenantes: sous le nom de sa femme, celui de mon père, décidé depuis longtemps à dormir auprès d'elle les siècles à venir. Tout aurait été pour Kim une preuve, une certitude... je l'aimais. Ç'aurait été ma façon de le lui démontrer, personne avant elle ne serait venu ici avec moi... Aurait-elle été triste, ou simplement émue de voir ces deux noms unis à jamais, alors que l'un d'entre eux était toujours vivant? Nous avions souvent envisagé ce voyage, n'avions jamais franchi le pas.

À l'époque où j'habitais chez lui, juste après la disparition de sa seconde femme, je demandais tous les soirs à ma grand-mère où était mon père: chaque nuit, à la même heure, il s'éclipsait... Je savais qu'il ne partait pas faire des visites puisqu'elles s'arrêtaient en fin d'après-midi, sauf les jours où il était de garde. Elle me révéla qu'il allait au cimetière... Il y avait toujours des fleurs fraîches sur la tombe, des glaïeuls, comme dans sa chambre, du côté où elle dormait. Leçon d'amour absolu!

Vingt-cinq

— J'ai souvent imaginé que tu serais là pour toujours. Quand je dis toujours, traduis par longtemps, très longtemps. Parce que ceux d'avant toi ne me faisaient pas rire autant que toi, ne savaient pas faire l'imbécile aussi bien que toi. Reine, tu ignores tout de ma nouvelle vie. Tu dois penser que Vanessa sera toujours capable de s'en sortir, que les cimetières sont remplis de gens irremplaçables, mais je peux t'affirmer que tu te trompes, que personne n'a pris ta place dans ma vie, que simplement savoir que tu existes dans la même ville que moi sans qu'on soit ensemble me fait souffrir au delà de tout. Je ne me laisse pas mourir mais presque, comme ces chiens qui jour après jour attendent, attendent, continuent à y croire. Je ne t'attends plus, Reine, je ne t'attends plus parce que je sais que même ton retour ne servirait à rien. Nous nous serons usés l'un l'autre. Mais nous ne nous quitterons jamais, que tu me croies ou pas, nous nous aimerons toujours. Reine, j'aurai pris l'habitude depuis ton départ de continuer à te parler comme si tu pouvais m'entendre, comme si tu pouvais me répondre. C'est la seule façon que j'aurai trouvée pour me faire du bien. Je ne vois plus Michaël. Tu ne le connais pas, mais je l'ai beaucoup aimé. Enfin... aimé, c'est peut-être un mot trop fort, mais je l'admirais profondément. Il avait attendu cinq ans pour pouvoir monter un film. Cinq ans... tu te rends compte? Je ne sais pas pourquoi je te raconte ça. Peut-être parce que je connais ta passion pour le septième art, que tu connais mon opinion par rapport à cette forme de création que je trouve aboutie quand elle est réussie, que faire des papiers sur des films n'aura jamais rempli ma vie. Toujours j'aurai été frustrée de ne pas faire ce sur quoi j'écrivais avec passion. Reine, j'ai beau essayer de me taire, je m'adresse à toi en sachant très bien que c'est débile. Mais j'en ai tant dans la tête... On a trop partagé pendant toutes ces années pour que je cesse d'un coup. Je ne peux pas me taire parce qu'il y a encore des choses que je dois te confier. J'avais peut-être un peu changé ces derniers mois, mais j'avais décidé que te rendre heureux était si important qu'il fallait que je ne voie plus Michaël. Ce n'était pas simple, tu sais, beaucoup plus facile à énoncer qu'à faire. J'avais l'impression de ne répandre que du mal autour de moi... toi qui souffrais en silence, lui... Tu auras toujours fait celui qui s'en foutait, celui pour qui mon bien-être passait avant tout. Si j'expliquais ça à mes copines, elles étaient jalouses de moi. La chance que j'avais! Oui, j'avais décidé de tout arrêter avec Michaël pour ne plus jouer, plus faire semblant. Je n'ai pas pu t'avouer tout ça avant, Reine. Le jour où j'avais pris la fameuse décision, tu prenais ton envol pour un ailleurs qui ne me concernait plus. *Timing* mal calculé. Tu ne sauras jamais rien de ce que je marmonne, je peux donc continuer. J'ai peur que tu ne sois devenu lâche parce que incapable de m'affronter, de soutenir mon regard en m'avouant que tu es amoureux de quelqu'un d'autre. J'avais osé, moi. Souviens-toi, je t'avais regardé dans les yeux pour t'annoncer que je partais vivre quelque chose d'important le jour où j'avais décidé de rejoindre Étienne. Rappelle-toi. Je n'étais pas fière, j'étais en larmes, mais je n'avais pas été lâche, j'avais eu le cran. Je ne sais pas comment j'avais fait, mais je l'avais fait. Enfin, je te pardonne, rien n'est plus grave au point où on en est. Mais je tenais à t'en faire part parce que, même si tu ne m'entends pas, je suis sûre qu'il y a un bon Dieu dans ton ciel qui se fera un plaisir de te faire partager des bribes de mon monologue! Notre appartement me manque. Je devrais préciser: ton appartement... L'habitude. Tellement de souvenirs, de bornes diposées pour ne jamais me perdre, tant de mailles à tisser pour que revive un univers. Tu peux pas comprendre, toi qui te moquais de ce que je collais sur mes murs, mes cartes postales, ces articles volés aux cahiers du cinéma, ces signatures qui les terminaient, Godard, Truffaut, Chabrol. J'ai remis tout ça dans mon nouveau cocon, mais figure-toi que ce n'est plus pareil. Je me demande pourquoi. Je vais arrêter, Reine, je vais arrêter. Encore un mot, pas pour que tu comprennes mais parce que je viens de saisir: on rattrape rarement quelqu'un qui s'enfuit. Si on le laisse échapper, immense est le risque de ne jamais le revoir. Les raisons qui l'auront vu partir seront autant de motifs pour ne pas qu'il revienne. Une dernière chose avant qu'on nous sépare. Explique à tes amis qui te croient heureuse que tu es étrangère dans un monde que tu regardes avancer sans toi. Répète-leur que ces sourires que tu fais, ces masques que tu portes, ces caresses que tu prodigues ne t'appartiennent en rien. Persuade-les en espérant qu'ils pourront saisir l'incompréhensible. Pourquoi je te dis ça? Parce qu'il n'y a que toi qui puisses comprendre à quel point je ne suis pas celle que les gens voient, celle qu'ils croient connaître. Toi, tu le sais, je t'aurai aimé pour ça, pour ce don que tu as de sentir ce genre de vibrations chez les autres, cette façon incomparable que tu as de cerner rapidement la personne qui te fait face. Tu vois, Reine, j'aurai mis tout ce temps, douze ans d'une vie pour devenir incohérente, belle peut-être encore mais incohérente.

Vingt-six

Je me suis levé très déprimé, comme si pendant la nuit tout avait pris la teinte grise, la mine sale des paysages qu'on découvre sans les voir, couleurs tristes qu'éviteraient nos yeux pour oublier les larmes. J'ai dormi, pourtant, d'un sommeil plein de rêves dont je ne me souviens pas, seules quelques bribes subsistent, éparses, confuses. Mises bout à bout, elles ne signifieraient rien pour moi.

Reçu un message de Jeanne. Elle possède une maison sur la côte, dans le sud, pas loin de Marseille. J'aurai passé chez elle des heures inoubliables, trois années plus tôt. Elle est veuve, a trois filles ravissantes. J'étais tombé amoureux de l'aînée... Peut-être avait-ce été réciproque? De Pascale irradiait ce charme diffus propre aux femmes que j'aime. Intelligente, tendre, sportive, gaie, pouvant d'un sourire dissiper les nuages trop noirs d'une journée, c'est elle dont j'aurais besoin en ce moment, pour effacer du miroir que j'affronte cette gueule qui me semble étrangère... Pascale, assez cinglée pour rouler toute la nuit, histoire de prendre le petit déjeuner sur une plage déserte, à trois cents kilomètres de l'endroit où nous avions dîné! Sa façon d'aimer la vie était si communicative! Je dis était, avait, pourquoi? Elle est peut-être la même, les êtres ne changent pas toujours, parfois les comportements varient selon l'âge, les circonstances...

Mes vraies envies commencent seulement à m'apparaître un peu plus claires. Kim, Vanessa, parties apparentes d'un iceberg...

Elles ne sont peut-être qu'aspérités auxquelles je me cramponne de peur de tomber!

Prendre du recul, pouvoir se retourner, serein, réfléchir au pourquoi d'un état qui n'a pas de vraie raison d'être.

Si je m'astreins à être tout à fait honnête, sincère, objectif, que vois-je? Quand Kim est présente, ma pensée dérive vers Vanessa. Lorsque c'est le contraire, c'est que je suis avec Vanessa. Je les aime donc toutes les deux? Pas si évident. Message de Jeanne? Je me mets à imaginer Pascale, sans revenir à celles qui vivent à Paris, objets de mon tourment. Conclusion: je n'aime pas mes deux Parisiennes?... Je me persuade du contraire, mais ce qui me séduit avant tout c'est l'idée qu'elles existent, sont là. Dès que je quitte Paris, nœud de ma vie, de mon problème, je serais capable d'être heureux avec n'importe qui, pourvu que ce n'importe qui se rapproche un tant soit peu de l'image de la femme idéale que j'ai dans la tête...

Élémentaire? En pratique, très compliqué...

Je décide d'accepter l'invitation lancée par Jeanne. Retour aux sources d'une autre histoire sur laquelle j'avais peut-être eu tendance à faire le noir un peu tôt.

Marseille dans la lumière blanche, plaisir redécouvert. Jeanne que je serre dans mes bras... sa maison sous le soleil.

Regarder devant, devant. Réveillée à l'aube pour me préparer des poivrons à l'huile d'olive, elle sait que c'est un de mes plats préférés, m'oblige à en reprendre plusieurs fois, fait partie de cette race de gens qui vous forcent à être heureux, même si pour des tas de raisons vous ne le souhaitez pas. Avec elle, les choses de la vie redeviennent simples, si simples... Je l'aime comme une mère.

C'est quelqu'un que d'emblée j'avais senti très proche, en résonance parfaite avec moi, une amie que je sais exister quelque part même si mon égoïsme a pour conséquence immédiate qu'on se voie rarement. En ce moment, elle est là, avec au fond du cœur cette envie féroce que je sois bien.

Chez elle, la fête... elle aime la fête, ne l'organise jamais mais l'induit en permanence, sans les présences insupportables des snobs, chiants, prétentieux dont souvent ces soirées sont le lot. Elle veut sa maison remplie de musique, de rires, d'émotions partagées qui vont, viennent au hasard de ceux qui sont là. Depuis six mois, elle a jeté son dévolu sur une bande de gitans qui ne la quittent plus. Ils ont fait venir du fond de l'Espagne toute proche deux personnages uniques: un chanteur de flamenco à la voix impressionnante accompagné d'un guitariste pour qui l'instrument qu'il serre contre lui est un prolongement naturel de la pensée. Ce type est beau, bourré de charme, rayonne, ressemble à s'y méprendre à Paul Newman jeune! L'atmosphère qui émane de sa musique me rend aussi triste qu'heureux. C'est un bonheur douloureux d'écouter quelqu'un pleurer de cette façon. La première nuit, la musique de Tomatito m'empêche de dormir, non pas qu'elle me gêne, au contraire, je pourrais regarder filer les heures sans penser à rien d'autre qu'à ce qui s'échappe de sa guitare... envoûté je suis, jaloux! Quelle impression hors du commun ce doit être de distiller du charme à ce point... pas moi avec mes photos qui en aurais le talent.

Les photos déclenchent une émotion au moment où elles sont regardées par les autres, une émotion décalée.

Celui qui vit la magie de l'instant, c'est celui qui capte le sourire, l'œil, la joie, celui qui prend la photo... mais c'est d'une jouissance personnelle qu'il s'agit, impossible à partager au moment présent. Jouer d'un instrument, faire vibrer en effleurant les cordes ou les touches est un plaisir qui rend heureux les autres à l'instant précis où on le ressent.

Je vais rester ici quelques jours, m'abreuver de ces petits riens qui font que de temps en temps j'oublie, je m'oublie, me rassure, me laisse aller.

Vingt-sept

Relu ce matin une lettre de Vanessa. Phrases qui me trouent le cœur, me donnent sur-le-champ l'envie de lui promettre que rien n'est fini entre nous, que jamais je ne saurais aimer quelqu'un d'autre comme je l'aime elle... Chaque fois que je lis ces mots écrits pour moi, j'ai le sentiment d'être passé à côté de la femme de ma vie sans avoir pris le temps de la connaître assez, l'aimer suffisamment. Que de fois où, suivant mon impulsion, je l'ai appelée, me suis raconté... On raccrochait, aussi mal l'un que l'autre, se disant que si tout était à refaire, rien ne serait jamais pareil, plus les mêmes erreurs, ce manque de dialogue, les conclusions hâtives que les silences font naître. Ces missives me mettent dans un état de dépendance que je déteste... maso, pour ne pas changer! Quand je me penche sur ces pages, ces lignes, cette façon insolite qu'elle avait d'écrire... quand je pense au bien que me faisaient ses délires épistolaires, je réalise n'avoir existé parfois que grâce à sa lumière. J'en ai, redécouvrant ces messages, des vertiges, des sueurs, me sens de plus en plus perdu sans elle, me fais peur! Je la relis pourtant... Chaque fois le même désespoir.

Ceci évoqué, je fais rarement exprès, retrouve sa correspondance dans des bouquins que je feuillette, papiers pliés en quatre marquant un chapitre, en découvre d'autres entre des tirages de photos, des planches contact. Tous les écrits délimitent une vie, instants précis inscrits à jamais pour que les mémoires fonctionnent, les cœurs battent, les souvenirs s'attardent encore un peu. J'en aurai gardé, de Vanessa, de Kim, de Pascale, toutes celles dont le destin parfois m'accompagnait, routes déviant de leur rectitude quelque temps...

Comment vieillir, quand on garde en permanence l'empreinte des amours entrevues, effleurées, quand on prend plaisir à rechercher la trace, le serrement de gorge qui ferait défaillir?

Le sentiment d'être le même, pas un autre, exactement le même qu'à quinze ans, dix-huit, vingt-cinq... La mémoire joue son rôle à la perfection, tous les films sont en version originale, je connais les sous-titres par cœur, les copies n'ont pas une ride. Le seul risque: à force de vivre en fonction des mises en scène de ma vie, il se pourrait qu'un jour je ne puisse pas faire autrement que suivre l'irréalité, que je refuse la vérité, qu'elle me fasse trop peur. Je risque de me réveiller très très seul, pour tout le temps qui reste, s'il m'en reste un peu... Ce serait presque bien de n'avoir pas trop de mémoire! On pourrait plus aisément faire abstraction, vivre l'instant pour l'instant, sans référence immédiate à ses souvenirs, sans essayer coûte que coûte de faire en sorte que le présent ait la même allure que l'ombre idéale subsistant du passé. Il y a quelques années, la jeune fille blonde que j'étais allé attendre toute une nuit sur un banc devant la gare de Pau avait entrepris de m'écrire tous les jours! Au début, j'ai pensé que c'était un gag, qu'elle n'en aurait jamais le courage, ou la stupidité... elle les a eus! Ça n'aura pas duré longtemps, parce que moi je n'avais ni assez d'amour ni assez de constance pour entretenir son quotidien dément... mais pendant deux mois j'ai eu droit à ma ration journalière d'écriture, finissais par être tellement dégoûté que je me serais caché dès que je voyais poindre le facteur! J'ai aujourd'hui d'autres raisons de me méfier du courrier...

Très rare de trouver des plis agréables dans sa boîte aux lettres... plutôt des factures, rappels, actes d'huissiers, impôts, que des «je t'aime, viens me rejoindre, j'ai deux billets pour le bout du monde!» On ne prend plus beaucoup le temps d'écrire. Le téléphone, le télécopieur, tout va tellement plus vite que le courrier qu'on a sûrement abandonné les élevages de plumes Sergent Major... Quand par hasard survient une vraie lettre, une qui raconte, décrit, supplie, émeut, ferait rire, on a envie de l'encadrer, de la garder avec soi, la lire, la relire... le téléphone aura finalement rendu à la lettre sa noblesse, sa rareté. Des pages magnifiques m'avaient été adressées par une actrice pendant le tournage d'un film au cours duquel je faisais des photos. Elle avait vraiment un style particulier, aurait pu m'en rédiger des carnets entiers, je ne me serais pas lassé! Peut-être que je dis ça parce qu'elle ne m'avait écrit qu'une fois.

Vingt-huit

Jeanne s'occupe de ma vie dans les moindres détails, ne veut en aucun cas que je pense, que je réfléchisse, encore... J'ai parlé brièvement à Pascale au téléphone. Phrases courtes, banales, peu compromettantes. Elle doit me répondre d'un endroit où elle n'est pas seule. Pourquoi le serait-elle, belle comme elle est? J'ai l'impression qu'elle demeure toujours aussi fantasque, dit qu'elle change de job constamment, qu'elle est prête à partir où que ce soit pourvu que la distance soit à la mesure de ses envies d'ailleurs. Elle ne s'éternise pas, murmure qu'en ce qui concerne nos relations passées le téléphone n'est pas très indiqué pour approfondir... Si je m'écoutais, si je m'abandonnais sans hésiter à l'irresponsabilité que je pratique de temps en temps, j'irais la retrouver sur-le-champ, où qu'elle soit, quelle que soit la personne qui partage sa vie, son amour du moment... je m'en fous, j'ai envie de la voir, de passer la main dans ses cheveux, d'entrer de nouveau dans l'avant-hier par la porte ensoleillée... La fièvre retombe, je me raisonne, me persuade que ça ne sert à rien, que je n'ai aucun droit d'aller mettre le doute dans sa tête sous prétexte que je suis là! Resterai accroché à l'empreinte trouble que je garde d'elle, ne casserai rien, le cadre sur le mur de ma conscience ne bougera pas d'un millimètre.

Je n'ai joint personne à Paris depuis que je suis ici. Pas envie, même état d'esprit que quand j'ai rencontré Kim. J'aime profondément être seul, quelquefois. Surtout ne pas penser au temps que j'ai pu perdre en partageant des bribes d'existence avec ceux qui ne m'intéressaient pas... des années, si je comptais!

Se résoudre... comme ça que ce devrait être. Je ne peux rien refaire. Les journées chez Jeanne s'étirent en douceur. Lire, écouter de la musique, caressé par le soleil timide de ce début d'été, ne pas prévoir, laisser venir.

Les Espagnols sont partis ce matin. Toute la bande. Le silence est retombé sur la grande maison pâle. Il faudrait que je travaille, que je songe à être efficace, créatif, perspective dont je me détourne dès qu'elle me vient à l'esprit.

J'ai laissé à Kim le numéro où je suis, pour ne pas qu'elle s'en serve! Je déteste ne pas pouvoir joindre quelqu'un de proche, alors je me mets à sa place, mais j'espère qu'elle n'appellera pas... Elle le fait, veut savoir ce que je fabrique dans le sud, qui répond au téléphone, pourquoi je n'ai pas daigné l'informer de mes projets autrement qu'en communiquant un numéro à son répondeur. Je réponds, presque désabusé, que ce n'était pas planifié, que j'ai décidé à la dernière minute... n'entre pas dans les détails. Elle n'a pas à savoir, ne comprendrait pas. Normal, elle ignore cette époque de ma vie... me suis gardé des jardins secrets. Je me vois mal lui expliquer le pourquoi de ma présence ici, n'ai aucune envie de lui parler de Jeanne, de mon histoire avec Pascale. J'abrège. Curieuse façon d'agir que la mienne: je me planque, ne veux pas qu'on me trouve mais laisse souvent derrière moi des signes de piste pour qu'on puisse me suivre... La liberté à tout prix, en même temps la dépendance, la corde pour mieux qu'on m'attache!

Vanessa n'a pas de mes nouvelles. En a-t-elle envie? Je me dis que non.

Quand elle m'avait quitté pour rejoindre Étienne, ils avaient décidé de partir au Pérou. L'imbécile que j'étais, que je suis toujours, s'était mis dans la tête qu'elle m'enverrait un télégramme de Lima, pas pour me faire mal, simplement pour que je la sache bien arrivée. C'est ce que j'aurais peut-être fait à sa place. Elle m'avait avoué plus tard qu'effectivement elle y avait pensé, ne l'avait pas expédié tant ç'aurait pu ressembler à de la provocation. Elle s'y connaît vraiment en provoc... la phrase sibylline, le mot acerbe, l'allusion qui saccage, remet les pendules à l'heure, elle sait le faire, très bien! Quand ce genre d'échange commence, c'est vite l'escalade. Dernièrement, l'escalade en question avait tendance à prendre des proportions incontrôlées!

Jeanne est heureuse de m'avoir pour ce peu de temps volé. Elle se sent souvent douloureusement seule dans ces murs d'où ses filles sont parties. L'endroit, conçu par son mari, était à leurs mesures...
Un jour, le bonheur fracassé. Accident. Toujours affreusement simple l'accident... Sa présence, partout, livres qu'il aimait toujours à la même place, portraits d'eux dans chaque pièce. Ses enfants sont là quelquefois, mais rien ne saurait être comme avant. Je ressens profondément ce sentiment d'impuissance, d'injustice, devant la disparition de quelqu'un qu'on a aimé. Vécu la même chose quand ma mère est morte, cette certitude du jamais plus, bien que toujours là, quelque part, veillant à tout instant sur nos faits, nos gestes...
Même impression de toujours présence en ce qui concerne Pascale.
Elle n'est pas ici, mais chacun de mes pas chez Jeanne se fait en sa compagnie, parce qu'elle m'avait dit tel mot à tel endroit, écrit telle phrase sur un bout de papier laissé en évidence sur le lit, un soir. Ceux qu'on a aimés nous accompagnent jour après jour.
Je remonte le temps... deuxième vie.

Vingt-neuf

SÉQUENCE CAUCHEMAR

Il doit avoir moins de quinze ans, est couché sur le trottoir, la moitié du visage arrachée, tissu, peau mélangés, fondus par l'explosion de la Mercedes. Dix heures. Tout le monde était dans la rue, jour de marché, la chaleur commençait à être accablante malgré le vent qui soufflait de la mer. Il faisait partie du groupe balayé par la déflagration. Je prends des photos comme un automate, n'ai pas conscience de ce qui s'imprime sur la pellicule... pas moi qui photographie, pas moi! Je ne pourrais pas... Le gosse ne bouge plus. Il va rejoindre d'autres formes qu'on devine, draps blancs maculés de sang. On étouffe, des femmes hurlent.

J'ai envie de vomir. Me réveille en sueur... toujours le même cauchemar depuis cinq jours. Cauchemar n'est pas le mot, chaque seconde du rêve est réelle, chacune un fragment de cette réalité que j'ai vécue depuis des années, qui m'a usé, détruit à petit

175

feu. Je devrais immortaliser des enfants vivants, des mères épanouies, corps harmonieux, beaux regards. Au lieu de quoi, scènes terribles.

Il va falloir qu'un jour je me décide à annoncer mon départ à Philippe. Écrire, pas téléphoner, une lettre simple, de démission, de renoncement. Beaucoup me diront fou à lier... abandonner du jour au lendemain une position de privilégié! Il est évident que le privilège est notoire... toujours voulu être ce que je suis... gagné ce faisant pas mal d'argent. Mais j'aimerais bien qu'ils aillent au diable avec leurs idées de carrière, de mission, de don de soi... aimerais donner de l'amour, en recevoir si possible en retour.

Quand je me confie à Jeanne, elle comprend, devine mieux que personne, sait.

À elle, je ne mens jamais. Je suis sûr qu'elle a le sentiment qu'avec Pascale nous sommes passés à quelques millimètres de quelque chose... Elle la connaît tellement, me cerne si bien, qu'elle désirerait, je crois, qu'on poursuive l'aventure, plus tard, parce que les histoires de ce genre sont toujours tristes quand inachevées...

Ma mère voyait d'un très mauvais œil ma carrière se profiler. Elle rêvait pour moi d'une vie plus brillante, plus éclatante, souhaitait que j'épouse ma fiancée de terminale, celle du parc de Saint-Cloud, fille idéale que les mères imaginent bien au bras de leur fils, bonne famille, père ingénieur agronome, situation confortable pour alliance projetée... De ma profession à mon mariage, ma mère aura traversé des années décevantes! En ce qui concerne ce dernier, je ne m'étendrai pas, personne n'est parfait. Ma valse-hésitation sentimentale doit avoir son origine du côté de mon union légitime... Une fois suffit! Aujourd'hui, l'idée même de supporter quelqu'un tous les jours, ou qu'on puisse de la même façon ne pas se lasser de ma présence, cette pensée me dépasse!

Quand j'avais dit oui, le jour du mariage, je savais en prononçant le mot fatidique qu'une autre syllabe aurait dû me venir à la bouche, qu'il était impératif que je dise non... J'ai dit oui! Vraiment moi! Penser à réagir, faire exactement le contraire!... Des années que, régulièrement, je me comporte en dépit du bon sens! Jamais compris comment certains pouvaient me prétendre équilibré!

Les relations amoureuses qui durent semblent obéir à une loi impitoyable: ne pas se voir trop, préserver le mystère, laisser à l'autre le champ libre pour qu'il n'étouffe jamais, se lasse le moins vite possible. La vie à deux, une erreur? On se croit toujours plus fort que l'habitude, plus malin que certains... résultat, souvent la même punition. La peur d'être seul, l'ennui, le besoin de se raccrocher à quelqu'un, tout pousse à vivre avec autrui, même si d'évidence on n'a pas fait le bon choix! Qui peut se vanter de supporter sans le moindre problème une solitude parfois pesante? J'en connais peu! On se laisse aller à la facilité, à l'illusion. Ratages de vie, d'amours, je ne m'y ferai jamais... La solution? Peut-être n'assumer que les passions, aller jusqu'au bout de chacune d'elles, y laisser chaque fois des plumes, mais savoir que le sang coule dans nos veines, bat à nos tempes, que tous ces pas, ces mises à l'épreuve valent mieux qu'une vie sans archives. Les filles veulent plus bâtir, construire, planifier une existence dont chaque minute compte, c'est du moins ce qui court... J'ai rencontré des hommes qui ont de vrais rêves de ce type. Je n'en fais aucunement partie, ne le regrette pas pour l'instant!

L'avenir dira si j'étais dans l'erreur...

Je passe peut-être à côté d'émotions intenses.

Mais comment me refaire, l'expliquer à Vanessa, à Kim... aucune ne pourrait comprendre!

Trente

Des semaines que je n'ai pas revu Kim, que je

PARIS: APPARTEMENT DE REINE/NUIT

n'ai plus reparlé à Vanessa. Des semaines que nos
itinéraires respectifs sont restés parallèles. Je n'ai
rien entrepris pour que ça change. Y ai-je gagné,
perdu? Je ne saurais dire, mais j'ai la sensation que
cette solitude me va bien, que je commence à me
ressembler. Besoin des autres? Sûrement, mais par
crises. D'un coup, l'absolue nécessité de couper les
fils, d'être mort encore une fois! J'aurai, boulimique,
fait des photos pendant des années, avant d'arrêter
d'un coup. Même processus que pour l'amour.
J'aurai traversé une partie de vie avec la certitude
d'être bien, de connaître chaque détail, chaque
parcelle d'un sentiment partagé... Là encore, d'un
coup, plus rien, le flou, l'étranglement, liberté prise
au piège, enfermée à jamais dans un placard secret,
double fond. J'aurai joué pour la reconquérir, ne sais
toujours pas si je suis plus ou moins libre qu'avant,

plus ou moins disponible qu'avant, oui ou non celui que je n'aimais pas souvent... J'aimerais voir monter des profondeurs une secousse intense, un chaos insupportable qui me dirait que quelque chose se passe, voudrais qu'on ouvre la serrure rouillée, grippée, bloquée par tout ce temps passé, les pluies, les froids, douleurs, hurlements, larmes.

Je me souhaiterais happé par la lumière du dehors, celle qu'on devinait, confuse, tout au bout du couloir, quand on avait encore la force de lever la tête pour regarder droit devant. Je prierais pour qu'on m'arrache le bandeau, pour voir en face à quoi ressemblait ce soleil dont parlaient tant les autres. J'ai eu la faiblesse d'y croire quand je me suis regardé dans les yeux de Kim... Désenchanté, je marche dans un sable qui s'enfonce chaque fois plus profond.

Subir, subir au lieu de vivre, d'essayer, de chercher l'endroit où le sable ferait place à la terre ferme. L'autre en veut toujours plus! Quand il vous prend la main, il a tendance à croire que tout lui appartient, le corps, l'âme, l'avenir, se persuade qu'il a des droits... Personne n'a de droit sur personne!

C'est ce moment-là qui me terrorise, l'instant où, quelles qu'aient pu être ses bonnes intentions, il franchit la frontière qui séparait ce qui était extraordinaire parce qu'irraisonné du futur projeté, calculé, cerné par le bon sens, le rationnel!... Cette fille qui m'envoyait quotidiennement ses états d'âme par courrier avait, un jour, mis les deux pieds du mauvais côté de la ligne, se voyait mariée, imaginait déjà son appartement, des gosses, tout ce qui, dans sa tête, était supposé me rendre heureux... C'était le bout de la route, le but, l'arrêt pour toujours, descente obligatoire, terminus, le train ne va pas plus loin!... écrit, tracé, sans bavures. Je ne me souviens plus très bien de mes réactions à l'époque, mais j'en ris encore quand je l'imagine, la pauvre!

Kim n'est pas exactement comme ça, mais elle veut tout de moi, plus encore sinon, dit-elle, rien ne vaut la peine, ne doit être, ne saurait exister! Deux heures au téléphone, de trois à cinq heures du matin, pour l'entendre clamer un certain nombre de vérités sur ce sujet brûlant. C'était il y a peu, un mois peut-être, juste après mon retour de Marseille. La conversation avait commencé sur un ton badin, je venais de photographier un jeune acteur encore peu connu. J'avais cru bon de la prévenir de ma présence dans la capitale.

Je lui avais raconté que Vanessa traversait une passe difficile, que je me devais d'être présent, au moins moralement, avais eu la bêtise d'ajouter que pour lui rendre service j'étais prêt à lui céder mon toit, le temps qu'elle aille mieux, déprime moins, se reprenne.

Il aurait été plus intelligent de me taire... tout s'est écroulé, m'a semblé différent, elle, moi, notre relation, le temps dehors, la couleur de la nuit, les mots prenaient un sens nouveau... À cet instant, elle m'est apparue tout autre. Eu l'impression fugace de revivre certaines pages douloureuses de ma période conjugale! Ça n'avait bien sûr aucun rapport, mais j'ai réalisé que si je n'y prenais garde j'allais peut-être me retrouver dans une situation qui prenait le même genre de chemin! Elle a terminé son sermon en me lançant: «C'est ton choix... bonsoir!», a raccroché brutalement. Si à cette seconde quelqu'un m'avait demandé si j'aimais Kim, je me serais étouffé. J'aurais répondu que j'ignorais de quoi il voulait parler!

Je n'avais pas l'ombre d'une marge de manœuvre. Kim m'avait fait une sommation: ou Vanessa repartait chez elle, ou chez des amis, ou elle, Kim, se sentait en droit de mettre un terme à notre histoire. Je n'ai jamais pu fonctionner de cette manière, pas dans ma nature... je préfère laisser décanter, il sera toujours assez tôt pour voir ce qu'aura trié le tamis... ne comprends toujours pas qu'on puisse décider de rayer quelqu'un de sa vie du jour au lendemain, surtout quand on prétend l'aimer.

Trente et un

Le monde entier a les yeux rivés sur la télé. Coupe du monde de football, plus sacré tu meurs! Je dois faire partie du un pour cent qui s'en tape. Pendant deux semaines, les Français auront vécu à l'heure de Roland Garros, ils viennent de mettre leurs montres à celle d'Italie, de Paris au fin fond de la Corse, les rues désertées sont un régal pour piétons, cyclistes, promeneurs en tous genres... la fête commençant chaque soir à dix-neuf heures. Ça me rappelle mai 68. J'habitais Sèvres, j'étais en terminale. À partir d'avril, on a sérieusement commencé à glander, mai aura été le point culminant. Je passais mon temps couché dans l'herbe du parc de Saint-Cloud, préférais le bucolique aux matraques... Je n'allais à Paris que le lendemain, en solex, constater les dégâts de la veille, barricades ceinturant le Quartier latin de la rue Gay-Lussac à la rue des Saints-Pères. J'avais les yeux qui piquaient à cause des gaz que les flics balançaient dans la nuit. Mon père se foutait de moi quand je lui racontais mes balades, il m'insultait en pensant que son fils n'avait même pas la notion des heures importantes que la France vivait! J'en avais tout à fait conscience, mais m'importait beaucoup plus le fait d'être amoureux...

Je n'étais pas encore courageux.

Le suis-je devenu?

Paris avait un drôle d'air en mai 68. C'était l'année de mon bac. J'ai pas trop bossé, mais je l'ai eu. Ce qui m'attirait dans le bac, c'étaient les vacances au Maroc qui m'attendaient en cas de réussite, ma fiancée de l'époque faisant partie du voyage!

Elle, la pauvre, elle a échoué, elle l'a eu en septembre. Pourtant, elle travaillait plus, mieux que moi. Elle avait dû être intimidée par le fait que cette année-là on devait tous passer un bac oral. Encore une bonne raison pour mon père de me tailler un costard... le bac en 68, on rêvait! Il aurait presque préféré me voir le rater en 67 que le réussir en 68! Kim doit être en train de passer des exams à l'heure qu'il est. La nuit où on s'était insultés, elle était en train de plancher comme une folle. Moi, je la charriais, prétendais que faire des études aux Beaux-Arts, c'était un peu comme ceux qui se vantent de faire psycho ou sciences éco... je n'en pensais pas un mot mais j'avais envie d'être désagréable, même sans raison!

J'avais vaguement l'impression, depuis un certain temps elle affichait un intérêt croissant pour le cinéma, qu'elle aurait bien aimé tourner un film, contrairement à ce qu'elle avait affirmé à Los Angeles!

J'étais à peu près persuadé qu'elle attendait qu'un réalisateur flashe sur elle, lui écrive un personnage, la fasse exister sur un écran, appât pour l'inconscient collectif. L'écoutant, souvent je pensais qu'elle aurait adoré que je sois metteur en scène plutôt que photographe, devenant celui qui s'ingénierait à la rendre célèbre. J'ignore si j'en aurais été capable. Passer de l'état de témoin à celui de créateur me semble infiniment compliqué, quoique il suffirait de faire le premier pas, je serais vite fixé!... Encore faudrait-il éprouver l'envie de la mettre en évidence... je me sens de plus en plus ouvert à d'autres rencontres, visages, beautés, secrets à explorer.

Je continue d'ailleurs à me demander s'il se pourrait qu'un jour on en vienne à trouver la femme de sa vie... l'existence est courte, les occasions nombreuses, la loterie si facétieuse... qui peut être assez sûr de son fait pour s'abandonner? Si j'avais l'audace de prolonger par des actes certaines pensées, je ferais tout pour tomber amoureux chaque semaine, un peu comme mon pote Will... à propos, il vient de m'envoyer une lettre annonçant son mariage. Je la connais, elle se nomme Jenny, chante remarquablement. Quand je l'avais rencontrée, ils célébraient dans un restaurant le succès d'une des compositions du jeune homme enregistrée par une *rock star*.

Rarement occasion m'aura été donnée de le voir dans un tel bonheur majuscule. Le sourire de quelqu'un qu'on aime rend heureux. Je l'étais pour lui, ils allaient parfaitement ensemble, ils méritaient. Ceci dit, ridicule d'organiser sa vie en fonction de ses amours du moment! On passe pour un dragueur acharné quand en fait, souvent, ce n'est que recherche d'apaisement, envie de savoir qu'on peut plaire encore, volonté délibérée d'arrêter quelque chose qui file entre les doigts, insaisissable!... Que des filles aient ce style d'attitude, elles seront à jamais cataloguées!

Vanessa est toujours chez moi. Pas moi. J'erre d'hôtel en hôtel. La situation doit rendre Kim hystérique. Mon père est du même avis qu'elle, me trouve trop bon ou trop poire. Je suis certainement très satisfait de la tournure que prennent les choses! Il est vrai que mon comportement tendrait à prouver que j'élude tout avenir avec Kim.

Si je n'aimais plus du tout Vanessa, ou ces souvenirs intenses que j'en garde, si elle m'était à jamais sortie de l'esprit, m'apparaissait désormais comme une amie pour qui j'éprouve une infinie tendresse mais rien de plus, je réintégrerais illico mes pénates, n'aurais pas peur que notre présence à tous les deux au même endroit puisse entraîner l'irrémédiable... je fais durer, durer!

Toutes les photos que j'ai pu faire d'elle sont toujours là, ses parfums... certaines affaires sont restées à leur place, rien n'a bougé... Chaque fois que Kim venait, passait dans ses yeux l'envie de tout balancer par la fenêtre, de faire place nette!

Compréhensible, c'était son univers qu'elle voulait...

Je ferais pareil à sa place, me verrais mal dormir chez elle, faire l'amour sous le regard de son mec rigolant sur la table de nuit!

Trente-deux

Vanessa est partie, a emporté tout ce qui la concernait, ses bouquins, le reste de ses fringues, flacons, bijoux...

Je ne reconnais rien, je regarde un tableau duquel on a enlevé un dégradé, une couleur, une ligne. La peinture est la même, à quelque chose près... ce détail qui fait toute la différence. Même quand elle avait trouvé son appartement, elle avait voulu laisser ici un peu de son univers, n'avait pas tout pris, comme si, infime, un espoir subsistait qu'elle revienne un jour. Je m'étais tellement habitué à ces ambiances de ma vie que je me sens nu, dépossédé, étranger dans ma mémoire.

C'est elle qui aura eu le courage, pas moi, je suis trop faible, trop lâche pour prendre cette sorte d'initiative, il fallait bien que ça arrive! J'ai tout l'avenir devant moi, toute la place que je veux, mais aucune des pièces manquantes ne saurait être remplacée.

Tu parles d'une erreur!... Je me suis tant imaginé que ça ne me ferait pas beaucoup d'effet que je me découvre à la fois perdu, incrédule, libre mais réduit en poussière. Même pas une pensée pour Kim ou Pascale. Le vide... Faut-il toujours que les grandes histoires d'amour finissent mal?... leur destin?... Une histoire qui finirait bien se terminerait par la disparition immédiate des protagonistes d'une passion, au même instant, comme l'explosion en plein vol d'un avion qui nous emporterait très loin! Jamais nous n'aurions eu le temps de nous faire du mal...

Je n'appellerai pas Kim pour lui raconter, elle serait trop contente, croirait avoir enfin les pleins pouvoirs, régnerait sans partage sur mon quotidien, définirait sans tarder une nouvelle éthique de vie.

Elle collerait sur mes murs des images qui risqueraient de défigurer mes souvenirs.

J'y tiens à mes souvenirs. De quel droit quelqu'un y toucherait-il, les salirait, les transformerait en événements ponctuels d'une existence transitoire?

Je vais la perdre, elle aussi, parce qu'elle en trouvera forcément un moins cassé que moi, un plus solide qui lui fera le tracé idéal d'un avenir qu'elle ne cesse de dessiner dans sa tête pour mieux en affirmer les contours. Je vais la perdre, j'ai en ce moment la sensation que je m'en moque. Je ne serai pas dans le même état quand elle me l'annoncera officiellement, mais pour l'instant je n'en ai cure... Plus tard, peut-être quand elle aussi se sera éloignée, je serai jaloux, largué, incapable de m'imaginer sans elle... mais pour l'instant je m'en fous.

Perdre ses marques oblige à dériver longtemps, jusqu'à ce que la coque touche de nouveau le fond, qu'on espère d'algues, pas de récif... Dans le premier cas, on reste à la surface, dans l'autre, on coule, pour de bon... à moins qu'on ne vous rattrape à temps. Finalement, rien en ce monde n'a plus d'importance que les choses graves ou belles touchant ceux qu'on aime!

Quand mon père aura disparu, je souhaite que ce soit le plus tard possible, qu'il aura rejoint le nom inscrit sur la tombe de marbre noir, sera enfin heureux auprès de celle qu'il aura aimée une vie entière, rien pour moi n'aura plus d'importance que ce moment-là. Je le sais, j'ai vécu des instants semblables avec ma mère. Ils m'auront porté, chacun à leur manière, jusqu'au bout de leurs forces, de leur conscience.

J'aurai essayé d'agir en pensant à ce qu'il ou elle aurait fait à ma place dans la même situation. Je plains ceux qui coupent le cordon ombilical trop tôt, parce qu'ils ont une fausse impression de liberté, d'enfance envolée, d'avenir ouvert à toute forme d'aventure, je plains celui qui devient adulte, responsable, fier de l'être. Je ne serai jamais adulte, n'entrerai jamais dans ce moule, parce que depuis le début je me sens différent... Que cette différence m'honore ou pas, je l'assume telle quelle.

Mes deux frères auront suivi des parcours divergents.

L'un aura voulu prendre la suite de mon père... lourd fardeau.

L'autre aura suivi le chemin qui mène au son, à la lumière... artiste, quoi de plus incertain? Le premier… adulte très tôt, le second aura, comme moi, toute sa vie refusé le qualificatif!

Je n'aurai peut-être pas d'autre amour que Vanessa, je veux dire d'amour aussi fort, vivrai au jour le jour des impressions fugitives, passionnantes ou frelatées, déchirantes ou exceptionnelles, mais je n'aurai pas d'autre amour que Vanessa.

J'aurai tout quitté un matin pour qu'elle se perde dans l'infini, qu'elle ne voie plus de moi qu'une ombre improbable, pour rayer de ma conscience ces quelques moments d'elle que je ne supportais pas. J'aurai, tout au long d'une route fictive, planté des balises pour ne pas m'égarer. Elle les aura enlevées, une à une, en partant, aura malgré elle réussi un tour de force, faire en sorte que son image demeure inscrite, indélébile, dans chacun de mes pas. Je sais que Kim sera plus heureuse sans moi, suis dans l'impossibilité d'envisager l'avenir de Vanessa.

J'ai la faiblesse de croire que tout ce que je viens de dire la concernant me concerne aussi quand elle pense à moi.

Je vais écrire ce livre auquel j'ai pensé souvent.

Je continuerai peut-être à figer la vie des autres sur quelque pellicule, mais, avant tout, j'écrirai, pour aller plus loin que l'image, plus profond dans la réflexion, pour échapper définitivement à ce portrait de moi que je n'aimais pas toujours.

Il fait lourd sur Paris. J'ai tiré les volets de ce bureau où je m'enferme de temps en temps.

J'ai devant moi une photo de Vanessa sortant de la mer au cap d'Antibes. Elle est belle dans un maillot noir. Elle rit, elle est heureuse. Je la regarde, la découvre comme si je ne l'avais jamais vue auparavant. Jamais plus je ne vivrai ces instants que je ne peux partager qu'avec elle... Autres endroits, autres femmes que je croiserai, qui me marqueront à leur manière, d'une façon superficielle ou profonde.

Sous la photo, l'ébauche de cette lettre que je voulais lui envoyer bien avant qu'elle s'en aille. Elle aurait pu y lire:

«Tu auras été tout pour moi. Tu ne l'auras su qu'à la fin, au moment où l'histoire entre dans le passé pour peu à peu s'y perdre avant de disparaître.»

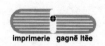

imprimerie gagné ltée

IMPRIMÉ AU CANADA